Coleção Melhores Crônicas

Affonso Romano de Sant'Anna

Seleção e Prefácio Letícia Malard

São Paulo
2003

global
EDITORA

Diretor Editorial
JEFFERSON L. ALVES

Gerente de Produção
FLÁVIO SAMUEL

Coordenação de Revisão
ANA CRISTINA TEIXEIRA

Revisão
MONICA CAVALCANTI DI GIACOMO
SOLANGE MARTINS

Projeto de Capa
VICTOR BURTON

Editoração Eletrônica
GISLEINE DE CARVALHO SAMUEL

Dados Internacionais de Catalogação na Publicação (CIP)
(Câmara Brasileira do Livro, SP, Brasil)

Sant'Anna, Affonso Romano de, 1937-
Affonso Romano de Sant'Anna ; seleção e prefácio Letícia Malard. – São Paulo : Global, 2003. – (Coleção melhores crônicas).

ISBN 85-260-0833-1

1. Crônicas brasileiras I. Malard, Letícia. II. Título. III. Série.

03-3154 CDD–869.93

Índice para catálogo sistemático:

1. Crônicas : Literatura brasileira 869.93

Direitos Reservados
GLOBAL EDITORA E DISTRIBUIDORA LTDA.
Rua Pirapitingüi, 111 – Liberdade
CEP 01508-020 – São Paulo – SP
Tel.: (11) 3277-7999 – Fax: (11) 3277-8141
E-mail: global@globaleditora.com.br

Nº DE CATÁLOGO: **2386**

Melhores Crônicas

Affonso Romano de Sant'Anna

PREFÁCIO

No texto introdutório do livro de crônicas *Porta de colégio* (2003), Affonso Romano de Sant'Anna fala sobre os tipos de texto que escreve para o jornal: conta casos, descreve situações, anota momentos líricos, faz críticas sociais. Segundo ele, "uma das funções da crônica é interferir no cotidiano", e as crônicas que interferem com maior crueza nos assuntos do momento acabam tornando-se inatuais quando aparecem em livro. Conclui dizendo que o "cronista é crônico", isto é, "doente de seu tempo", mas que também paira acima dele.

No intelectual Affonso Romano, o cronista, o poeta e o professor universitário também se interferem. Por isso, muito mais que "doente", ele é um mágico da palavra e do tempo. Molda-os a jeito de baralhar o velho com o novo, de superpor passado e presente, atualizando o velho sem deixar o novo caducar. Assim, afasta-se da inatualidade, imprime à notícia um algo mais, para que esta perdure e se atualize continuamente durante as leituras vindouras.

Veja-se como de uma simples frase mítica – "Deus passou por ali" – o cronista tira da sua cartola situações contrárias à frase, denunciando os diversos tipos de violência: da Waterloo de Napoleão à Jerusalém atual, por onde Deus não passou. Ou, o procedimento reflexivo ao contrário, em *Nós, os que matamos Tim Lopes*, título de crônica e de livro seus, publicados em 2002: a sociedade não são os matadores reais, mas o matador metafórico, por conivência ou omissão, nas guerras de quaisquer naturezas. Ou, ainda, a violência contra a privacidade, seus antecedentes e conseqüentes no comportamento social tal como a hipocrisia, no texto "O que Clinton deveria ter dito", a propósito do rumoroso caso com Monica Lewinsky.

Mágico do assunto e de sua metamorfose em literatura, o escritor vai trazendo à cena e vem representando na linguagem não apenas as grandes manchetes. Vasculha as eternas insignificâncias de muita significação, azulejos da arte de cronicar, das quais nos fala Machado de Assis em *A Semana*, na crônica de 10 de julho de 1892: "as pobres ocorrências de nada, a velha anedota, o sopapo casual, o furto, a facada anônima, a estatística mortuária, as tentativas de suicídio, o cocheiro que foge, o noticiário, em suma". Noticiário desse baú de ossos do dia, que é o jornal.

Assim, a grande arte do bom cronista: saber que o tema da hora urgente na folha impressa exige alternâncias com aquela temática que sempre está na ordem de todos os tempos. Como por exemplo: o amor e outras espécies de sentimentos, a Arte/a Beleza. Além, é claro, do próprio Tempo – que matamos e que nos enterra, como disse o velho Machado.

Assim, o Affonso professor de teoria da crônica e o poeta irado – na jovem acepção do termo – concentram-se no ofício do cronista. De um cronista-de-jornal amarrado nos acontecimentos da sua hora, nos quais interfere – muitas vezes cruamente –, porém sabedor da efemeridade destes. De um cronista-poeta capaz de ultrapassar o imediatismo do jornal e, escrevendo para o seu tempo, escreve para muito além dos horizontes do seu tempo. Daí, umas crônicas com elementos de suspense tenderem ao conto; algumas, escritas em prosa com estrutura poética e rima; outras, passíveis da caducidade do fato que as inspira, virem sob a forma de poema. Afinal, o verso num livro de prosa faz crescer sua aura de perenitude. Ou, adaptando-se o dito de Guimarães Rosa: o poema não morre; fica encantado.

Falamos da morte e do enterro do Tempo em Machado, o qual – muitos não o sabem – foi também o grande mestre da crônica de seu tempo. No mesmo texto de 1892, lê-se: "Não gosto que os fatos nem os homens se me imponham por si mesmos. [...] Os fatos, eu é que os hei de declarar transcendentes; os homens, eu é que os hei de aclamar extraordinários." A articulação entre fatos e homens reaparece na crônica de 4 de dezembro daquele ano e no mesmo periódico: "Os acontecimentos parecem-se com os homens. São melindrosos, ambiciosos, impacientes, o mais pífio quer aparecer antes do mais idôneo, atropelam tudo, sem justiça nem modéstia..."

Ao publicar esta nova seleção de crônicas, a Global Editora nos apresenta um Affonso Romano pairando acima dos acontecimentos efêmeros. Um cronista que sabe como declarar transcendentes certos fatos, aclamar extraordinários certos homens e mulheres. Um escritor que dá o pulo do gato na seleção dos acontecimentos, marcando a escrita do instante com a leitura atemporal. Um cronista que trabalha assuntos não perecíveis, que fazem parte do pão nosso de cada dia – ontem, hoje e sempre.

Em tudo o que já li sobre a teorização da crônica não encontrei aquele elemento que me parece decisivo para a sua apreciação e consumo: as experiências do leitor diante do que é tematizado, experiências essas realmente vividas, lidas ou ouvidas. Isso porque, diferentemente das narrativas consideradas ficcionais, via de regra a crônica retoma um fato da realidade circundante e, portanto, o leitor já sabe do que vai tratar, logo de início.

Não se discute que leitor de crônica costuma ser ledor de jornal, gente bem informada. Diariamente lá está ele diante do caos organizado daquelas folhas de vida por um dia. Lendo o jornal, o comum é que leia a coluna daquele de quem é leitor de fé. Conclusão: o leitor acaba escrevendo mentalmente com o escritor e, não raro, enviando-lhe mensagens em tempo real. Durante a leitura do texto ou na feitura da mensagem, entra na crônica como se esta fosse um portal: busca *links* do texto com outros textos, recorta e cola notícias, formata experiências, opina em concordâncias (ou discordâncias). Esse, o grande lance de uma espécie literária a que chamamos de "crônica".

Reunidas em livro, as crônicas-notícia funcionam como um relicário de lembranças dos episódios que motivaram aqueles textos, lembranças avivadas pela literatura do real. Assim, ler esse tipo de crônica é como cruzar uma ponte: de um lado jaz enterrado o distante episódio dado a conhecer em estado bruto – enquanto notícia, reportagem, depoimento etc; do outro lado, a crônica do episódio – viva reminiscência de análise e interpretação expansiva, tão mais lapidada quanto melhor o cronista.

Como nenhum outro cronista nosso, Affonso tem o cacife da poesia e da academia para a lapidação da notícia, a fim de que seja perpetuada sob o estado de reminiscência literarizada. "O vestibular da vida" – em que uma mulher grávida e assaltada vai prestar o exame –, embora sendo de 1986, se aplica a outras incontáveis situações dramáticas vividas por vestibulandos de qualquer época, neste país afora. "O apocalipse de Goiânia", referência à tragédia radioativa do césio 137, cujas vítimas foram enterradas em caixões cimentados, atesta o horror sob a forma de poema, como a perenizar a manchete inesquecível.

As crônicas não sustentadas por determinada notícia – que constituem a maioria absoluta do livro – encantam o leitor pelo que eu chamaria de descompromisso com o aqui e o agora no descartável da mídia. Transcendem o tempo e o espaço, podem valer tanto para a Idade Média quanto para o chinês do século XXI. Nesses casos, diz

Affonso em "Resistir através da beleza": "a crônica tem de ser achada no interior do cronista. Não adianta querer escrever sobre o que não se sente, desconversar, tapear."

A amizade, a delicadeza, a maledicência, a hipocrisia, a corrupção, a violência, a beleza e a política – temas deste livro – sempre estiveram e estão presentes em todos e em toda parte, direta ou indiretamente. Interiorizando-as para escrever sobre elas, em doses de lauda e meia, o cronista está interagindo com um número imenso de pessoas: de diferentes idades, culturas, espaços, classes sociais.

Nesta seleção, Affonso demonstra – convém repetir – certa preferência em falar do amor, da mulher, da beleza e do envelhecer. O envelhecer, tratado tanto com seriedade quanto com humor, se contrapõe à explosão da juventude, explosão encantatória que pega de surpresa o cronista. A contemplação da beleza – seja das coisas e das pessoas, seja das diversas artes – se espraia pelo discurso do escritor.

Contudo, penso que o amor é a tônica das crônicas aqui reunidas. O autor vai tematizá-lo oscilante entre a ironia e a seriedade, entre o próximo e o distante, da realidade para o sonho. Vai fundo nessa espécie de arte de amar através da crônica. Explora-a desde a etimologia da palavra "amor" e, passando em revista amores correspondidos e não correspondidos, chega à temperatura máxima do relacionamento aberto entre pais e filhos: estes, querendo dar uma festa em casa, mandam os pais para um motel e monitoram jocosamente tamanha ousadia.

O feminino, extensão natural do amor, já era matéria da praia do poeta e ensaísta, antes de se fazer cronista. Em sua vasta obra poética, a mulher é um sistema de estrelas entrevisto a olho desarmado. Em livros de teoria e análise literárias – e cito *O canibalismo amoroso* (1984) – ele estuda a configuração feminina em poetas brasileiros de diferentes épocas. Nesta antologia, a mulher é a estrela central da galáxia, perdoem-me os astrônomos a heresia na metáfora. Deixa seu rastro brilhante, quando ama e é amada: "ao serem amadas atingem o luminoso êxtase de si mesmas", lê-se na crônica "Mistérios gozosos". Dissolve-se em espuma estelar nebulosa, quando presa de insatisfação ou de mistério, como o sorriso no quadro de da Vinci, em "De que ri a Mona Lisa?".

Em uma metacrônica do livro *A vida por viver* (1997), Affonso compara a crônica à arte de cozinhar, seu produto final a um bolo: "Você fica ali mexendo e remexendo a massa do texto e das idéias e, de repente, percebe que o bolo deu ponto." Mas reconhece que o bolo vai agradar a uns, desagradar a outros.

De minha parte, creio que os leitores vão comer cada bolo à sua maneira e a seu gosto. E é assim que deve ser. Uns bolos serão recusados cerimoniosamente; são as crônicas que desagradam. Muitos serão devorados com gulodice, de uma só vez, esquecida a dieta; são as crônicas que se admira. Outros, comidos pedaço a pedaço, em lenta e inesquecível degustação; são as crônicas que se adora, que se lê e se relê, se guarda na memória, se indica a parentes, amados, amigos e relacionados, se manda de presente.

Que o nosso leitor adore os bolos que aqui estão sendo servidos a ele.

Letícia Malard

CRÔNICAS

ANTES QUE ELAS CRESÇAM

*H*á um período em que os pais vão ficando órfãos dos próprios filhos. É que as crianças crescem. Independentes de nós, como árvores tagarelas e pássaros estabanados, elas crescem sem pedir licença. Crescem como a inflação independente do governo e da vontade popular. Entre os estupros dos preços, os disparos dos discursos e o assalto das estações, elas crescem com uma estridência alegre e, às vezes, com alardeada arrogância.

Mas não crescem todos os dias, de igual maneira: crescem, de repente. Um dia se assentam perto de você no terraço e dizem uma frase de tal maturidade, que você sente que não pode mais trocar as fraldas daquela criatura.

Onde é que andou crescendo aquela danadinha, que você não percebia? Cadê aquele cheirinho de leite sobre a pele? Cadê a pazinha de brincar na areia, as festinhas de aniversário com palhaços, amiguinhos e o primeiro uniforme do maternal ou escola experimental?

Ela está crescendo num ritual de obediência orgânica e desobediência civil. E você agora está ali na porta da discoteca esperando que ela não apenas cresça, mas apareça. Ali estão muitos pais, ao volante, esperando que saiam esfuziantes sobre patins, cabelos soltos sobre as ancas. Essas são as nossas filhas, em pleno cio, lindas potrancas.

Entre hambúrgueres e refrigerantes nas esquinas, lá estão elas, com o uniforme de sua geração: incômodas mochilas da moda nos ombros ou então com o suéter amarrado na cintura. Está quente, a gente diz que vão estragar o suéter, mas não tem jeito, é o emblema da geração.

Pois ali estamos, depois do primeiro ou segundo casamento, com essa barba de jovem executivo ou intelectual em ascensão, as mães, às vezes, já com a primeira plástica e o casamento recomposto. Essas são as filhas que conseguimos gerar apesar dos golpes dos ventos, das colheitas das notícias e das ditaduras das horas. E elas crescem, meio amestradas, vendo como redigimos nossas teses e nos doutoramos nos nossos erros.

Há um período em que os pais vão ficando órfãos dos próprios filhos.

Longe já vai o momento em que o primeiro mênstruo foi recebido como um impacto de rosas vermelhas. Não mais as colheremos nas portas das discotecas e festas, quando surgiam entre gírias e canções. Passou o tempo do balé, da cultura francesa e inglesa. Saíram do banco de trás e passaram para o volante das próprias vidas. Só nos resta dizer "bonne route, bonne route" como naquela canção francesa narrando a emoção do pai quando a filha lhe oferece o primeiro jantar no apartamento dela.

Deveríamos ter ido mais vezes à cama delas ao anoitecer para ouvir sua alma respirando conversas e confidências entre os lençóis da infância e os adolescentes cobertos naquele quarto cheio de colagens, *posters* e agendas coloridas de pilot. Não, não as levamos suficientes vezes ao maldito *drive-in*, ao Tablado para ver *Pluft*, não lhes demos suficientes hambúrgueres e cocas, não lhes compramos todos os sorvetes e roupas merecidas.

Elas cresceram sem que esgotássemos nelas todo nosso afeto.

No princípio subiam a serra ou iam à casa de praia entre embrulhos, comidas, engarrafamentos, natais, páscoas, piscinas e amiguinhas. Sim, havia as brigas dentro do carro, disputa pela janela, pedidos de sorvetes e sanduíches, cantorias infantis. Depois chegou a idade em que subir para a casa de campo com os pais começou a ser um esforço, um sofrimento, pois era impossível largar a turma aqui na praia e os primeiros namorados. Esse exílio dos pais, esse divórcio dos filhos, vai durar sete anos bíblicos. Agora é hora dos pais nas montanhas terem a solidão que queriam, mas, de repente, exalarem contagiosa saudade daquelas pestes.

O jeito é esperar. Qualquer hora podem nos dar netos. O neto é a hora do carinho ocioso e estocado, não exercido nos próprios filhos, e que não pode morrer conosco. Por isto os avós são tão desmesurados e distribuem tão incontrolável afeição. Os netos são a última oportunidade de reeditar o nosso afeto.

Por isso é necessário fazer alguma coisa a mais, antes que elas cresçam.

A MULHER MADURA

O rosto da mulher madura entrou na moldura de meus olhos.

De repente, a surpreendo num banco olhando de soslaio, aguardando sua vez no balcão. Outras vezes ela passa por mim na rua entre os camelôs. Vezes outras a entrevejo no espelho de uma joalheria. A mulher madura, com seu rosto denso esculpido como o de uma atriz grega, tem qualquer coisa de Melina Mercouri ou de Anouke Aimé.

Há uma serenidade nos seus gestos, longe dos desperdícios da adolescência, quando se esbanjam pernas, braços e bocas ruidosamente. A adolescente não sabe ainda os limites do seu corpo e vai florescendo estabanada. É como um nadador principiante, faz muito barulho, joga muita água para os lados. Enfim, desborda.

A mulher madura nada no tempo e flui com a serenidade de um peixe. O silêncio em torno de seus gestos tem algo do repouso da garça sobre o lago. Seu olhar sobre os objetos não é de gula ou de concupiscência. Seus olhos não violam as coisas, mas as envolvem ternamente. Sabem a distância entre seu corpo e o mundo.

A mulher madura é assim: tem algo de orquídea que brota exclusiva de um tronco, inteira. Não é um canteiro de margaridas jovens tagarelando nas manhãs.

A adolescente, com o brilho de seus cabelos, com essa irradiação que vem dos dentes e dos olhos, nos extasia. Mas a mulher madura tem um som de adágio em suas formas. E até no gozo ela soa com a profundidade de um violoncelo e a sutileza de um oboé sobre a campina do leito.

A boca da mulher madura tem uma indizível sabedoria. Ela chorou na madrugada e abriu-se em opaco espanto. Ela conheceu a traição e ela mesma saiu sozinha para se deixar invadir pela dimensão de outros corpos. Por isso as suas mãos são líricas no drama e repõem no seu corpo um aprendizado da macia paina de setembro e abril.

O corpo da mulher madura é um corpo que já tem história. Inscrições se fizeram em sua superfície. Seu corpo não é como na adolescência uma pura e agreste possibilidade. Ela conhece seus mecanismos, apalpa suas mensagens, decodifica as ameaças numa intimidade respeitosa.

Sei que falo de uma certa mulher madura localizada numa classe social, e os mais politizados têm que ter condescendência e me entender. A maturidade também vem à mulher pobre, mas vem com tal violência que o verde se perverte e sobre os casebres e corpos tudo se reveste de uma marrom tristeza.

Na verdade, talvez a mulher madura não se saiba assim inteira ante seu olho interior. Talvez a sua aura se inscreva melhor no olho exterior, que a maturidade é também algo que o outro nos confere, complementarmente. Maturidade é essa coisa dupla: um jogo de espelhos revelador.

Cada idade tem seu esplendor. É um equívoco pensá-lo apenas como um relâmpago de juventude, um brilho de raquetes e pernas sobre as praias do tempo. Cada idade tem seu brilho e é preciso que cada um descubra o fulgor do próprio corpo.

A mulher madura está pronta para algo definitivo.

Merece, por exemplo, sentar-se naquela praça de Siena à tarde acompanhando com o complacente olhar o vôo das andorinhas e as crianças a brincar. A mulher madura tem esse ar de que, enfim, está pronta para ir à Grécia. Descolou-se da superfície das coisas. Merece profundidades. Por isso, pode-se dizer que a mulher madura não ostenta jóias. As jóias brotaram de seu tronco, incorporaram-se naturalmente ao seu rosto, como se fossem prendas do tempo.

A mulher madura é um ser luminoso e repousante às quatro horas da tarde, quando as sereias se banham e saem discretamente perfumadas com seus filhos pelos parques do dia. Pena que seu marido não note, perdido que está nos escritórios e mesquinhas ações nos múltiplos mercados dos gestos. Ele não sabe, mas deveria voltar para casa tão maduro quanto Yves Montand e Paul Newman, quando nos seus filmes.

Sobretudo, o primeiro namorado ou o primeiro marido não sabem o que perderam em não esperá-la madurar. Ali está uma mulher madura, mais que nunca pronta para quem a souber amar.

QUE PRESENTE TE DAR

Que presente te darei, eu que tanto quero e pouco dou, porque mesquinho, egoísta, distraído não te cumulo daquilo que deveria cumular?

Deveria desatar inúmeros presentes ao pé da árvore, entreabrindo jóias, tecidos, requintados e pessoais objetos, ou deveria dar-te não o que posso buscar lá fora, mas o que, em mim, está fechado e mal sei desembrulhar?

Gostaria de dar-te coisas naturais, feitas com a mão como fazem os camponeses, os artesãos, como faz a mulher que ama e prepara o Natal com seus dedos e receitas, adornos e atenções.

Te dar, talvez, um pedaço de praia primitiva, como aquelas do Nordeste, ou de antigamente – Búzios e Cabo Frio; um pedaço de mar das ilhas do Caribe, onde a água e o mar são transparentes e onde a areia é fina e brilhante e, sozinhos, habitam a eternidade, os amantes.

Te dar aquele verso de canção um dia ouvida não sei mais onde, se numa tarde de chuva, se entre os lençóis cansados; um verso, uma canção ou talvez o puro som de um saxofone ao fim do dia, som que tem qualquer coisa de promessa e melancolia.

Fugir uma tarde contigo para os motéis, quando todos os homens se perdem nos papéis e escritórios, números e tensões; fugir contigo para uma tarde assim, um espaço de amor entreaberto, um entreato na peça que nos prega a burocracia dos gestos.

Gravar numa fita as canções que me fazem lembrar de ti e ouvi-las, ou tocar de algum modo em algum cassete as frases que disseste, que em mim gravaste, frases líricas, precisas, que quando estou cinza, relembro e me iluminam.

Te enviar todos os cartões que colecionas, de todos os lugares que conheço ou que tu nem imaginas; ir a essas paisagens e ilhas e habitá-las com palavras de intermitente paixão.

Dar-te aquela casa de campo entre as montanhas, aquele amor entre a neblina, aquele espaço fora do mundo, fora dos outros espaços, sem telefone, sem estranhas ligações, para ali nos ligarmos um no outro em una e dupla solidão.

Se queres jóias, te darei. Aqueles corais que vendem na Ponte Vecchia em Florença; o âmbar ou as pérolas que expõem nas lojas do Havaí; aquelas pedras de vidro para iridescentes colares, que vendem em Atenas, ao pé da Plaka, ao pé da Acrópole, que amorosa nos contempla.

Te dar numa viagem os castelos do Loire, e sair comendo e rindo juntos no roteiro gastronômico franco-italiano, ali comendo e aqueles vinhos bebendo, de tudo nos esquecendo, sobretudo dos remorsos tropicais de quem tem sempre ao lado um faminto desamparado, de culpa nos ferindo.

Te darei flores. Sempre planejei fazer isto. Tão simples: de manhã acordar displicente e começar a colher flores sob a cama. Ir tirando buquês de rosas, margaridas, vasos de íris, orquídeas que estão desabrochando e uma a uma, de flores ir te cumulando. E amanhecendo dirás: o amado hoje está mel puro, seu amor aflorou e está me perfumando.

Escrever bilhetes pela casa inteira, metê-los entre roupas, armários, prateleiras, para que na minha ausência comeces a descobrir recados daquele que nunca se ausentou, embora esse ar de quem vive partindo, mas se alguma vez partiu, partido foi para reunido regressar.

Te dar um gesto simples. Passar a mão de repente sobre tua mão, como se apalpa a vida ou fruto, que pede para ser colhido.

Te dar um olhar, não aquele olhar distraído, alienado de quem está nas coisas prosaicas perdido, mas um olhar de quem chegou inteiro e que se entrega enternecido e desamparado dizendo: olha, sou teu, agora veja lá o que vai fazer comigo.

UMA AMIGA ME FALOU...

Uma amiga me falou, aliás, várias amigas me falaram que não estão achando o homem que merecem. E as reclamações são as mais variadas. Dizem, e essa é a queixa mais repetida, que os homens não querem nenhuma relação permanente. Querem uma coisa ambígua, querem ficar e não ficar, como se estivessem brincando de Hamlet, com aquela coisa de "ser ou não ser". Elas acabam aceitando ou entrando nesse jogo, mas daí se cansam, desgastadas, porque gostariam muito de uma relação fixa, que preenchesse não só as noites de sábado, as tardes de domingo, mas que, durante a semana, fosse uma possibilidade de ir juntos a um cinema, a um bar, a um concerto. Aliás, queriam mais do que isso. Algo como um companheirismo amoroso. Mas que isso está dificílimo de se conseguir.

Claro, queriam também ter filhos, aquelas que não os têm. E as que têm já algum filho do primeiro casamento gostariam que seus amantes tivessem uma relação melhor com o menino ou a menina. Mas os homens, dizem minhas amigas, vêm e somem. Parecem caixeiros viajantes do amor e do orgasmo. Estão sempre de passagem como se estivessem indo vender sua mercadoria noutro dia em outro arrabalde.

Nessas conversas a gente acaba se referindo às mulheres que estão casadas. Algumas dessas amigas que já foram casadas, por outro lado, não querem voltar àquele tipo do seu primeiro casamento onde tudo deu errado em poucos anos. Casaram-se com a melhor das boas intenções com o colega da faculdade ou de escritório e, diferentemente de suas mães, não conseguiram segurar a relação. Nem os homens, aliás, pareciam interessados em segurálas, muitos já estavam em outra e outras.

O que está acontecendo com os homens? Pioraram nos últimos tempos?

Minhas amigas dizem que não é bem assim. Algumas, orgulhosamente, dizem que as mulheres é que melhoraram, e aí a relação desbalançou. Alegam que não querem mais a vida de suas mães, serem apenas "rainha do lar". Querem uma profissão, querem uma vida erótica participante e liberdade de movimentos.

Seria exigir demais? E dizem ainda minhas amigas que os homens em geral têm medo da concorrência da mulher e que se sentem inseguros quando elas começam a realizar suas potencialidades.

Uma delas me disse: "O problema é que o homem e a mulher são educados diferentemente. Desde pequeno dizem ao homem que ele tem que crescer, ser forte, macho, arranjar um emprego ou profissão para sustentar sua família. O principal objetivo na vida dele, conforme a sociedade lhe diz, é ser um profissional e um cidadão. Com isso ele se prepara para uma vida exterior, para conquistar o mundo. Ninguém o ajuda a lidar com sua sentimentalidade. Com isso, o casamento e a mulher surgem no seu caminho como uma paisagem, um cenário onde ele é o ator principal. Nenhum homem é educado para o encontro com a mulher, mas para o encontro com as mulheres.

"Já as mulheres, apesar da descoberta do anticoncepcional, apesar de as garotinhas hoje em dia saírem de casa para os bares quase à meia-noite, apesar de borboletearem 'ficando' com um ou outro, as mulheres são ainda preparadas para a idéia de que vão constituir família e que encontrarão no afeto e na maternidade a sua grande realização."

Realmente existe alguma verdade nisso. Alguma.

Mas uma amiga me diz: – Acho que no fundo somos diferentes não apenas quanto à educação. Acho que tem uma diferença biológica qualquer que faz com que nossas cabeças sejam outras.

Realmente há anos surgiu entre as feministas de última geração a idéia de que homens e mulheres são "realmente" diferentes. Chegaram à conclusão que era uma utopia exigir "igualdade" apenas do ponto de vista social, por exemplo, o mesmo tratamento salarial e de oportunidades e mais espaço para si dentro de suas casas. Mas concluíram que os machos e as fêmeas têm alguma coisa de "diferente", o que não implica a superioridade de um sobre o outro, senão na aceitação que têm expectativas bio-psicológicas diversas.

Uma amiga fez uma observação inteligentíssima: – As pessoas esperam do casamento o que não conseguem sequer de sua profissão ou das relações com outras pessoas, ou seja, uma realização plena. E isso é impossível, arremata ela.

Outras amigas preferem localizar a questão não nos homens, mas na estrutura mesmo do casamento. O deslocamento da questão parece, a princípio, correto, mas acabam concordando que o casamento é aquilo que duas pessoas decidem que o casamento vai ser. Quer dizer: existe uma fórmula geral, mas cada casal deve acomodá-la ao seu estilo.

E os homens, o que pensam os homens?

Confesso que tenho dificuldade em saber. Homem não conversa sobre seus sentimentos. Só nas novelas de televisão ou nos consultórios dos analistas. Ou, então, quando se apaixona por outra mulher fora do casamento e, não agüentando mais a divisão, se socorre de um amigo íntimo. Claro, há exceções. Mas quando surge um homem assim diz-se que ele tem uma "alma feminina".

O fato é que as mulheres estão inquietas e insatisfeitas. Converse com sua amiga mais próxima para ver.

O QUE SE PERDE COM O TEMPO

Leio que aos 25 anos a pele começa a perder água. Aos 35 tem menos elasticidade e aos cinqüenta está frouxa.

Leio e fico assustado.

Mas leio também que a partir dos trinta perdemos cinqüenta mil células cerebrais por dia.

Fico assustadíssimo.

Não estou em condições de perder mais nada. Já perdi o bonde e a esperança de ter um país pronto onde viver. Querem agora levar minhas células cerebrais?

A tortura continua.

Leio que aos cinqüenta o paladar já está meio degradado. Os receptores da língua já estão enfastiados e desperdiçam os sabores.

Mal me refaço dessa informação, vem outra: aos 45 o revestimento do estômago e intestino vai ressecando e a digestão se torna mais difícil.

Começo a fazer umas contas. Se perco, por exemplo, cinqüenta mil células cerebrais por dia, em um mês seriam 1,5 milhão e em um ano, imaginem!

Constato que meu cérebro há muito se foi. Vivo apenas de lembranças. É claro que, depois de certa idade, a gente começa a esquecer nomes, sobrenomes, títulos de livros e filmes, e um amigo outro dia voltou para a casa de onde havia mudado há um ano, meteu a chave na porta naturalmente e foi entrando como se ainda morasse ali. Mas para essas coisas a gente arruma desculpa. O difícil é lidar com esses números que a ciência esfrega na nossa cara.

Outro dia num almoço uma amiga disse: "O pior são os braços. Os braços não mentem jamais. Por isso", disse ela, "agora só dou adeusinho com os dedos, o antebraço colado no corpo, senão o outro percebe logo a pelanca dependurada."

O pior de você continuar a ler que aos trinta as válvulas cardíacas tendem a enrijecer e os rins começam a entrar em pane é que jamais vai poder dizer que a vida começa aos quarenta. Na verdade, vai sair à procura de uma gerontóloga romena, que só ela pode nos salvar de nos desmancharmos em plena rua ou no meio de uma festa.

O pior desses dados é você ficar neurótico. Em meio a um coquetel, enquanto sustenta uma conversa desinteressada, você pensa: "Ai, meu Deus! Eu aqui perdendo minhas células e ainda tenho de perder tempo neste blablablá."

A sensação diante desses números é a mesma que temos no dia-a-dia da inflação: jamais nosso salário ganhará a batalha contra ela. A corrosão diária é evidente.

Na verdade, a sensação é a daquela cena de filme em que alguém começa a afundar em areia movediça. Horrível sensação. Parece também a situação de ser brasileiro, há dez anos afundando na recessão.

Será que tinham de informar isso à gente? Não bastam o espelho e os cabelos na pia?

Saber disso, no entanto, pode ter um sabor de vingança em relação aos inimigos. Aí você pode de repente dizer cientificamente na cara do outro: "Sabe que, enquanto estava tentando me sacanear ontem, você perdeu cinqüenta mil células cerebrais e seu coração ficou mais rígido?"

Não nos haviam prometido na escola que na natureza nada se cria, nada se perde e que tudo se transforma? Em que se transformaram as células perdidas?

O pior desses dados é a sensação de que você está perdendo parte do espetáculo. Já nem falo de você enxergar mal uma ópera ou um filme, pois para isso existem óculos. Falo de outra coisa. Por exemplo, você está num restaurante caríssimo. Já pediu de entrada um *blinis de caviar* e, como prato principal, um *papillote de saumon frais aux morilles*. Se você tem mais de cinqüenta anos deve pedir um desconto ao *maître*, porque os receptores de sua língua não vão poder haurir todo o preço que está pagando. Tem de ser igual filme para estudante, pagar só meia entrada.

Nas lojas de disco também há que pedir desconto, porque enquanto um jovem ouvirá naturalmente a música numa sonoridade de FM, você, com a estática e os ruídos da idade, vai ouvir em AM.

Há quem veja nessa atitude da natureza diminuindo audição, visão, tato, paladar etc. uma resposta muito sábia. Assim, os mais velhos se poupam da poluição sonora, visual e até dos maus cheiros da vida.

No entanto, o fato é que ninguém gosta de constatar que aos 65 anos, mesmo já tendo vivido uma longa vida de experiência, a força muscular perdeu 25% de sua potência, porque as fibras vão morrendo diária e inexoravelmente.

Há soluções para retardar essas perdas todas. Doses regulares de vitamina C, o ácido ascórbico, e ingestão de água. Isso além da ginástica e, é claro, da cirurgia plástica, que apenas retarda o estopim.

É duro. Mas a gente tem de se acostumar.

Eu, por exemplo, não queria dizer, mas desde que você começou a leitura desta crônica já perdeu quase mil células. E nem se deu conta.

Continue distraído. É melhor.

DE QUE RI A MONA LISA?

Estou na Sala da Vinci, no Louvre. Aqui penetrei encaminhado por uma seta que dizia "Sala da Vinci". É como se fosse uma indicação para uma grande avenida no trânsito de uma cidade. Não que a seta seja apelativa ou extraordinária. Mas reconheço que nela está escrito implicitamente algo mais. É como se sob aquelas letras estivesse escrito: "Preparem o seu coração para um encontro histórico com a *Gioconda* e seu indecifrável sorriso." E tanto é assim que as pessoas desembocam nessa sala e estacionam diante de um único quadro – o da Mona Lisa.

Do lado esquerdo da *Gioconda*, dezesseis quadros de renascentistas de primeiro time. Do lado direito, dez quadros de Rafael, Andrea del Sarto e outros. E na frente, mais dez Ticianos, além de Veroneses, Tintorettos e vários outros quadros do próprio da Vinci.

Mas não adianta, ninguém os olha.

Estou fascinado com este ritual. E escandalizado com o que a informação dirigida faz com a gente. Agora, por exemplo, acabou de acorrer aos pés da Mona Lisa um grupo de japoneses: caladinhos, comportadinhos, agrupadinhos diante do quadro. A guia fala-fala-fala e eles tiram-tiram-tiram fotos num plic-plic-plic de câmeras sem *flash*. Sim, que é proibido foto com *flash*, conforme está desenhado num cartaz para qualquer um entender.

E lá se foram os japoneses. A guia os arrastou para fora da sala e não os deixou ver nenhum outro quadro. E, assim, pessoas vão chegando sem se dar conta de que sobre a porta de entrada há um gigantesco Veronese *Bodas de Canaã*. É singularíssimo, porque o veneziano misturou a festa de Canaã com a "última ceia". Cristo está lá no meio da mesa, num cenário greco-romano. O pintor colocou a escravaria no plano superior da tela e ali há uma festança com a presença até de animais.

Entrou agora na sala outro grupo. São espanhóis e italianos. "Veja só os olhos dela", diz um à sua esposa, exibindo o original senso crítico. "De qualquer lado que se olha, ela nos olha", diz outro parecendo ainda mais esperto. "Mas que sorriso", acrescenta outro ainda. E se vão.

Ao lado esquerdo de Mona Lisa reencontro-me com dois quadros de da Vinci. Mas como as pessoas não foram treinadas para se extasiarem diante deles, são deixados inteiramente para mim. São *A Virgem dos Rochedos e São João Batista*. Este último me intriga particularmente. É que este São João assim andrógino tem uma graça especial, e mais: tem o rosto muito semelhante ao de Santa Ana, do quadro *Santa Ana, a Virgem e o Menino*, no qual Freud andou vendo coisas tão fantásticas, que se não explicam o quadro pelo menos mostram como o psicanalista era imaginoso.

Chegou um bando de garotos ingleses-escoceses-irlandeses, vermelhinhos, agitadinhos, de uniforme. Também foram postos diante de Mona Lisa como diante do retrato de um ancestral importante. Só diante dela. O guia falava entusiasmado como se estivesse ante o quadro de uma batalha. E ele ali, talvez achando graça da situação.

Enquanto isso ocorre, estou enamorado da *Belle Ferronière* do próprio da Vinci, que embora possa ser a própria Mona Lisa de perfil, ninguém olha.

Chegou agora um grupo de jovens surdos-mudos holandeses. Postaram-se ali perplexos, o guia falou com as mãos e foram-se. Chegou um grupo de africanos. E repete-se o ritual. E ali na parede os vários Rafaéis, outros da Vincis, do lado esquerdo os dezesseis renascentistas de primeira linha, do lado direito os dez quadros de Rafael, Andrea del Sarto e outros, e na frente mais dez Ticianos, além dos Veroneses, Tintorettos etc., que ninguém vê.

O ser humano é fascinante. E banal. Vêm para ver. Não vêem nem o que vêem, nem o que deviam ver. Entende-se. Aquele cordão de isolamento em torno de Mona Lisa aumenta a sua sacralidade. E tem um vigia especial. E um alarme especial contra roubo. Quem por ali passou defronte dela acionando a câmera, pode voltar para a Oceania, Osaka e Alasca com a noção de dever cumprido. Quando disserem que viram a Mona Lisa, serão mais respeitados pelos vizinhos.

Mal entra outro grupo de turistas para repetir o ritual, percebo que a Mona Lisa me olha por sobre o ombro de um deles e sorri realmente.

Agora sei de que ri Mona Lisa.

A ARTE DE PRESENTEAR

*H*omens e mulheres se dão presentes de maneira diferente.

Não sei se isso é cultural, se é psicológico ou até biológico. É diferente. E falo tanto de dar quanto de receber. Pois se um presente brilha na mão de um homem e na direção da mulher, o corpo dela é pura comoção e se entreabre numa primavera de dedos e floração de sorrisos e beijos.

O homem, não. O homem, em geral, dá à mulher a sensação de que errou de destinatário, que ele está abrindo uma caixa para outra pessoa. Ele não tem dedos ágeis, lindos, frágeis, de quem abre o cristal do afeto, a seda do carinho e os laços da paixão. Vai logo rasgando tudo, meio estabanado e, quando chega ao cerne da coisa, mal balbucia um adjetivo para, luminosamente, agradecer.

Homem não recebe presente. Apenas constata que ganhou. Olha-o de fora. Eu aqui ele acolá, vai até vesti-lo com orgulho, vai até dirigi-lo ágil e feliz. Recebe sempre como se as mulheres lhe devessem coisas. Falta ao homem aquela aura que só os santos e as mulheres assumem quando recebem uma graça dada.

Receber um presente é uma arte que às vezes tem que se aprender. No meu tempo de menino em Minas, por exemplo, não se abria presente na frente dos outros. A desculpa era sempre de que seria uma falta de educação. Ou será que era medo de mostrar a própria emoção? Carregava-se o presente para o quarto ou ia-se abrir escondido, sozinho, proibindo ao doador a cena da revelação.

Se homens e mulheres recebem presentes diferentemente, também escolhem e presenteiam de modo diverso. Homem pede à secretária que escolha e mande. Nesse caso, presente é uma coisa entre mulheres a respeito dos homens.

Já a mulher é capaz de passar dias procurando pelas galerias e vitrinas. Ela reassume suas antigas virtualidades de coletora numa sociedade tribal e vai colhendo das árvores o alimento afetivo para sua família. Mas não me venham, por causa disso, dizer que a mulher tem mais tempo e foi treinada para isso desde sempre. Há também homens, que não foram treinados para isso, não têm tempo, mas cumprem o mesmo ritual do prazenteiro doador. São poucos, é verdade, mas nem por isso são menos homens. A emoção, dizem os machos empedernidos e os artistas formalistas, é coisa de mulher. Dizem isso e perdem assim metade do que de bom tem a vida, que é se emocionar.

Sobre presentes, se pode muito observar. Há quem saia e só consiga comprar presentes para si mesmo. Roda, roda, roda nas vitrinas do seu ego, não consegue ver o outro. Assim, sai para presentear o outro e faz o outro presenteá-lo.

– Há pessoas que não se dão presentes para não terem que se dar?

Nesse caso o presente é um escudo. Ambíguo escudo. Nesse caso o presente fala mudo.

– Há pessoas que dão presentes como forma de se dar?

Nesse caso o presente é tudo. Duplo mundo. O próprio corpo a se desembrulhar.

Os amantes sabem disso. Entre eles os presentes sinalizam a estrada da paixão. Para eles, o presente é a véspera do corpo. A primeira achega. O progressivo afeto. Pela sua constância, valor e progresso, se sabe quando o amor aumenta ou quando está em extinção.

Assim, da mesma forma que o primeiro presente é sinal de que alguém desembarcou em nossa vida, também há presentes que são o último aceno na estação, a última víscera desembrulhada na dilacerada relação.

Mas o bom é quando o presente é um transbordamento do afeto. Uma duplicação do gesto. Um preenchimento de espaços no corpo, na casa do outro.

Desse modo, presentear é resistir, ocupar (claro, em alguns casos, é invadir). Mas quando vai disseminando presentes na campina do outro corpo, o amante, mais que agricultor, é construtor, arquiteto, fundador. Está preenchendo o tempo e o espaço, está se expandindo num concreto amor.

Presentear, na verdade, é isso. É dizer: eu não vim apenas te ver, através do meu presente, eu vim permanecer.

DA MINHA JANELA VEJO

Da minha janela os vejo. São três. Encostados no tapume da favela e sentados na escada da subida do morro conversam. Um tem um revólver na mão. São magros. Escuros. Vestem um calção, o tronco nu exposto aos trópicos. Faz um calor estupendo e há um zumbido de sexo, cerveja e ondas no azul do ar.

Da minha janela os vejo. Os três agora se ajeitaram no degrau de terra defronte ao lixo na ribanceira. Aquele que tem nas mãos uma arma, limpa-a com uma flanela. A arma não ameaça os demais. Há uma cumplicidade entre esses três homens, como se fossem executivos em torno de uma mesa. E o que brinca com a arma não parece apenas um menino com seu carrinho, mas um relojoeiro lidando com algo preciso e precioso. Ele a faz girar no dedo como naqueles filmes de caubói que ele viu, que eu vi, que todos vimos. E ele roda o revólver como o relojoeiro dá corda ao tempo. Roda. Pára. Roda como nos filmes. E, de novo, com a flanela, limpa a arma, como alguém lava e limpa seu carro no fim de semana.

Da minha janela os vejo: dois policiais a cinqüenta metros, lá embaixo. Deram um passo para cá, outro para lá, e agora se encostaram na parede, ociosos. Lá de baixo não podem ver o que de minha janela repetidamente vejo. A rigor, nem olham para a favela, que teriam que ver, mas não vêem. Enquanto isso, o que limpa a arma atrás do madeirame os vê, e está tão cioso e seguro como se cuidasse de sua horta ou cozinhasse um pão para entregar de madrugada.

Da minha janela vejo outros personagens na cena. Subindo vagarosamente pela escada lá vem um ou outro favelado. Um pára, olha o que está armado, mas continua em frente como se tivesse visto, digamos, uma árvore. Como se tivesse visto alguém cuidando do jantar. Como se tivesse visto, enfim, um homem com um revólver na favela. Sem espanto. Sem constrangimento.

Mas vejo algo mais. Lá vem uma criança voltando azul e branca do colégio. Vem morosa ao sol, subindo calmamente, e agora pára diante dos três homens de calção e dorso nu. Diz qualquer coisa ao que brinca com a arma como quem pede a bênção ao tio ou saúda o porteiro do prédio. Olha a arma como quem vê um fruto amadurecendo. Como quem olha um instrumento de trabalho de um adulto. Com o mesmo pasmo do filho olhando os objetos no escritório do pai engenheiro.

Os dois policiais, contudo, continuam conversando ali na esquina. Falam talvez da escala de serviço, da folga na próxima semana, e acabam de olhar as pernas de uma portentosa mulata que passou. Olham mais: olham para o lado e vêem um carro de onde uma luminosa loura com sua malha de látex de ginástica salta na direção da academia em frente. E eles a inspecionam com os olhos como a um ser inatingível de outra galáxia.

Da minha janela me dou conta que somos um triângulo. Eu aqui do alto contemplando de um ângulo os homens seminus e sua arma. Num outro ângulo, igualmente agudo, os policiais tranqüilos, que também têm uma arma na cintura. Somos um triângulo visual, um triângulo social, real, pervertido. E a ansiedade se aloja apenas no ângulo de meus olhos desarmados.

Mas por que tanto limpa a arma o caubói do asfalto? Será que a terá usado há pouco? Será que ainda está quente do tiro que abateu o turista alemão?

Olho o rapaz de calção e sua arma, como quem olha uma força da natureza, uma árvore. Uma árvore carnívora. Amanhã, ou hoje à noite, ele vai sair com sua arma como quem sai armado dos dentes do próprio cão. Talvez me encontre num sinal de trânsito ou numa rua escura e me abra a cabeça com a bala de sua fúria. Não terei tempo de explicar-lhe minha intimidade com ele e sua arma. Nem que planos tinha para a vida.

No dia seguinte os dois policiais estarão ali conversando. Ele estará no seu posto, limpando de novo os dentes do revólver, ou, como agora, enrolará a arma na camisa e sumirá entre os casebres para repartir seu ódio e cerveja com os amigos ou seu amor com uma mulher, onde descarregará a arma de seu sexo.

Mas quando isso se der, eu, você ou aquele que tiver sido assassinado não estará mais aqui nem terá mais olhos para ver.

A VIDA POR VIVER

Vou falar de uma coisa simples e difícil de obter. A liberdade de administrar o próprio tempo. Isso pode não parecer interessante, muito distante para você, cara-pálida, que está tomando café, apressadamente, dirigindo engravatado o seu carro e entrando no gargalo do dia já com a alma engarrafada. Além disso, alguém pode dizer: "Tanto assunto interessante, crimes, eleições e esse cronista nos vem com esta coisinha tão subjetiva?"

É o seguinte: você passa a vida inteira entre as paredes de um escritório, fábrica ou qualquer lugar que condensa o seu trabalho. Passa lá oito ou dez horas por dia. Quando não está lá, também lá está, porque o escritório é o centro, o fulcro, o olho do furacão de sua vida. Você está em Cingapura, mas sua secretária lhe mantém preso telefônica e umbilicalmente por um fio. Você está atado a esse espaço por meio de cordões invisíveis, no fundo é como se fosse uma marionete representando um papel que nem sempre pode controlar.

Mas um dia você larga isso tudo. Pode ser por razões várias. A maioria, por causa da aposentadoria, uns poucos, mais felizes, porque julgam já ter amealhado dinheiro suficiente para poder administrar o próprio ócio. Então se descobre o outro lado do dia, outra dimensão do tempo e a redescoberta do espaço.

Você não está mais atrás do vidro do carro vendo a vida lá fora quando ia para o trabalho. Naquele tempo você via o cenário exterior com inveja. Mas preferia não confessar isso diretamente, preferia achar que as pessoas passeando de bermuda na orla da praia, pedalando na lagoa, correndo entre as árvores, eram apenas um cartão-postal, um filme de propaganda de cartão de crédito.

Então, você se dizia: "Um dia eu passo para o lado de lá, eles não perdem por esperar. Também sou filho de Deus!" Mas isso era dito com a esperança semanal de quem joga em vão na loteria, com a alma meio chocha.

E aí você olhava da janela do escritório através do vidro do escritório a vida fluindo lá fora, longe. Quando se dava conta, o dia tinha escurecido, acabado. Havia a vida que você estava levando e a que você jurava que um dia ainda ia levar. Enquanto isso, a vida ia levando você.

Ah, sim! Havia as férias. Mas férias, convenhamos, eram outra coisa. Primeiro, é um período curtíssimo. Mal começam, acabam. Depois, como você deixava tudo para as férias, elas se transformavam numa correria para realizar uma programação reprimida. Isso sem falar nos compromissos com a família e suas obrigatórias viagens.

Um dia, no entanto, você se liberta do jugo de tudo. Libera-se das coisinhas que pareciam grandes e que ocupavam sua agenda e que lhe davam a sensação de que estava numa olimpíada, saltando numa interminável corrida de obstáculos. Era como uma linha de montagem. Uma pessoa depois da outra, um problema depois do outro, ou então um problema dentro do outro e pessoas se metendo dentro das vidas umas das outras. E as reuniões tensas e ociosas em que se grafitava interminavelmente a folha de papel à sua frente e se cifravam e decifravam orçamentos irrealizáveis; e a fumaça dos cigarros poluindo as discussões; e o travo do café deixando aquele acre sabor de que a vida lhe escapava.

De repente, você é tão senhor do seu dia que pode até escolher quem quer ver, com quem quer conversar, e não vai ter mais de dividir a cela ou a sala de trabalho na galé comunitária de uma empresa.

Também não vai ter de acordar com a alma maldormida e amarrotada e sair correndo para pegar o avião, porque se não estiver na tal reunião o mundo vai acabar. Bobagem! Vaidade das vaidades! As reuniões e o mundo passam muito bem sem você. Você é que não pode passar mais tempo sem você mesmo.

Portanto, que alívio não ter de regressar desses aeroportos, de onde os executivos de noitinha vêm todos meio cinzentos, com aquelas pastas pretas e a alma marrom dentro dos ternos amarrotados, razão por que têm de pedir à aeromoça algumas doses de uísque para relaxar os músculos e os remorsos.

Há de se ter coragem para ser livre. Porque se libertar também dá trabalho. Poder reorganizar seu próprio tempo e espaço é um privilégio que exige técnica especial; senão, de repente, você se surpreende entrando numa gaiola novamente. E essa liberdade implica várias descobertas. A primeira é a do próprio corpo. Corpo não foi feito para ficar de gravata e sapato o dia inteiro, atrás de uma mesa cheia de papéis e com uma parede de vidro na frente. A outra descoberta é a do espaço da própria casa. Redescobrir suas potenciais necessidades como as de um corpo. Reabitá-la, refazê-la, ampliá-la dentro de você. E começar, finalmente, a fazer o que realmente sempre quis.

Logo se inicia também a redescoberta de sua rua, de suas esquinas, de seu bairro, e você começa a olhar as pessoas como habitantes e não mais como transeuntes.

Se quer ir ao cinema às três da tarde, vá. Se quer sair para tomar sorvete às cinco, vá. Você vai acabar redescobrindo uma certa luminosidade que as manhãs ainda têm e que a tarde tem mais mistérios do que o pôr-do-sol pode nos pintar.

Ah! gravata sufocante!

Ah! paletó jogado sobre o assento ou carregado na mão naqueles dias de verão tórrido!

Ah! papéis e problemas na mala!

Ah! vida atada à morte lenta e burocrática, adeus!

A vida está aqui fora, nas ruas da cidade, na casa redescoberta e no corpo que, solar, assume calmamente a vida por viver.

CASADA, AMANDO OUTRO

Aquela mulher ali, em meio a esta reunião social, tem um amante. Amante: palavra que já derramou sangue e até os anos 30 era proibida nos palcos brasileiros, conforme revelou, há tempos, Procópio Ferreira.

Mas o que me leva a achar que ela tem um amante, se não sou seu marido, não sou sua melhor amiga e, a rigor, a estou vendo pela primeira vez?

Talvez seja isto: quando as pessoas estão amando, os outros percebem. Aliás, quando estão desamando também. Certa vez vi uma amiga atravessar a Av. Atlântica às três horas da tarde e dirigir-se a um cinema, que hoje não existe mais. Não sei se era o jeito de ela ir sozinha, havia nela alguma coisa que me fez chegar em casa e comentar: acho que fulana está se separando. Daí a dias veio a confirmação.

Uma vez uma amiga me disse: "Antes que eu soubesse que estava grávida, percebi que algo amoravelmente diferente acontecia comigo: os homens me observavam mais e até me cantavam."

É que uma mulher amada é uma fêmea que se denuncia e alicia outros amores entre os machos na campina.

Deve ser isto: para mim, aquela mulher ali no terraço, nesta festa ao entardecer, está exalando amor, um secreto e doce amor. Se alguém encostar o ouvido nas paredes de sua alma, ouvirá que ela canta. Há alguns meses já não é a mesma. Uma parte do mundo se acrescentou a ela. De algum modo ainda está perplexa com a situação, mas não chega a estar ansiosa. O que a intriga, por outro lado, é que de algum modo também ama seu marido, ou, pelo menos, não pensa em separar-se nem em afastar-se dos filhos. Se um anjo do Senhor com uma espada baixasse dos céus e lhe dissesse: "Escolhei aquele com quem deveis ficar", seria um suplício, pois, no fundo, ela sabe que são coisas diferentes. E necessárias. "Por favor, Senhor", ela vai rezando enquanto se dirige ao balcão e olha o mar, "não me obrigueis a esse esfacelamento, ensinai-me antes a coabitar com minha ambígua felicidade."

Não me perguntem como, quando, onde ela se encontrou com o amante à primeira vez. Se foi após uma reunião de trabalho, durante um congresso ou às três horas da tarde num motel. O fato é que aconteceu depois de um misterioso desenrolar de vontades e curiosidades. Foi estranho voltar para casa naquele dia. E também nos outros. Mas naquela primeira vez, sobretudo. Já não era a mesma pessoa e a casa parecia a mesma. Não, a casa também já não era a mesma: os móveis e os objetos a olharam diferentemente: ela era uma mulher acrescida de algo indizível.

Havia qualquer coisa de culpa, é claro. Como evitar isso que nossa cultura cultiva furiosamente há milhares de anos, maldições e assassinatos? Mas o que era consciência culposa aos poucos se transformou numa culpa corajosa.

No primeiro encontro acabou dizendo, não sabe se para si ou para ele: "Sabe, é a primeira vez que me acontece isto desde que me casei." E ela dizia isso como se desse um presente inadiável. Ela dizia isso com um desamparo tocante, como se fosse um frágil objeto que ao outro caberia proteger.

Foi seu marido que se tornou menos interessante? Teria ele se interessado por outras e com isto começaram a se afastar sem se perceber? O que diziam esses livros ou manuais sobre o amor? O que aconselham? Como justificar-se e não se achar um bicho de duas cabeças, animal de três pernas?

Lembrou-se de uma, de várias amigas que lhe contaram casos de amor que lhes aconteceram em pleno casamento. Algumas falavam disso como se tivessem sido acidentadas. Outras como se tivessem visto um arcanjo. Lembra que, de uma amiga, chegou a avistar o amante, e vendo-o, assim cruamente passando burguesmente na rua, não entendeu o porquê do arrebatamento da amiga. Era afinal um sujeito comum, como então despertava tais arroubos na outra?

A festa vai transcorrendo. Estou passeando pelo passado, presente e futuro dessa mulher sem que ela o saiba.

Vai esse amor extemporâneo reaproximá-la do seu marido? É apenas um parêntese poético no prosaico da sua vida?

Pode parecer estranho, mas há casos em que certos casamentos melhoraram depois desses episódios. Claro, outros desabaram de vez, outros se complicaram ainda mais, mas há casos de casamentos que melhoraram silenciosamente a partir daí. Sei que isso pode soar indecente, amoral ou sei-lá-o-quê, mas não invento nada, apenas constato. É como se o outro tivesse ido lá fora aprender coisas sobre si mesmo. E nessa questão do aprendizado, seja ele escolar ou amoroso, a gente não aprende necessariamente aquilo que querem nos ensinar, mas aquilo que carecemos aprender.

Ali está ela. A festa continua, já começa a anoitecer, claro que para nós, não para ela, que está num momento luminoso de sua vida. Num momento também delicadíssimo e sem poder partilhá-lo com quem quer que seja. É que certas travessias têm que ser feitas a sós. E são elas que dão sentido à vida, ainda que provisoriamente.

NA ESPERA DO AMANHÃ

Vou dizer uma frase banal: sem o mito do amanhã não existiríamos. Digo, e assumo. Não fora o amanhã e secaríamos à beira dos caminhos, esboroaríamos como um cascalho no deserto. O amanhã é que fermenta o hoje, que fermenta o ontem.

Por que migram as aves sobre os oceanos?

Por que cardumes de baleias varam as ondas?

Por que os peixes sobem cachoeiras procurando as nascentes do futuro?

Os animais, aves e insetos ao redor nos dão lições de aurora.

Esses periquitos, por exemplo, estão contidos na gaiola. Nasceram presos, mas continuam botando ovos. E toda madrugada cantam, quando eu mesmo estou dormindo como um barco que segue a própria rota.

Ganhei duas crisálidas de borboletas. Aprendi a ver nesses casulos as asas que se desenharão em algum céu. Seguro nas mãos essas formas vivas disfarçadas de vegetal. Imagino o futuro dessas células. Mas tal imaginação não é um privilégio só meu. No meu quarto, dependuradas num vaso de samambaia, duas crisálidas me contemplam a mim. Elas sabem, mais que eu, a que horas duas estupendas borboletas sairão do útero do tempo para esbaterem contra as vidraças do dia.

A trepadeira no terraço, que avança dois-três centímetros cada jornada, seguindo o fio de náilon do tempo, me ensina a direção das coisas. O vento sopra pelas costas de suas folhas e ela navega verde na pilastra como uma caravela reinventando o seu concreto mar.

O suicida é o que decretou a morte do amanhã.

O idealista é o viciado que toma o amanhã nas veias, aspira-o com os pulmões, esfrega-o nos olhos e gengivas.

E, no entanto, dizemos: está difícil, a vida está dura, assim não é possível, este país não tem mais jeito, amaldiçoamos Deus e o diabo, mas no dia seguinte, amarfanhados, caminhamos junto ao mar para saudar a aurora.

A natureza é sábia... olhai os lírios do campo: eles passam a vida tecendo e fiando o amanhã. E o jardineiro que parece um perverso podador no presente, tão-somente antecipa a floração da vida com suas lâminas de dor.

Em busca do amanhã as cobras perdem sua pele.

Penas caem na muda da plumagem airosa dos airões.

Cães ladram pressentindo o terremoto, que os homens sequer percebem. Os cães, quando uivam para a Lua, estão à sua maneira saudando o cio das madrugadas.

Não há muro, regime, pesticida contra as baratas do amanhã.

Em busca do amanhã uma nave passou por Marte e segue agora o rumo de Urano.

Os homens já estão legislando a constituição do amanhã.

E se acabarem com o amanhã aqui, ele continuará com outros seres menos ferozes em outras galáxias, mais humanas, talvez.

É assim que Penélope tecia e destecia seu amor nos fios da madrugada esperando Ulisses atracar na enseada.

É assim que Sísifo – o mais otimista dos deuses condenados – rolava montanha acima sempre a pedra que rolava montanha abaixo.

É assim que Fênix – a fabulosa ave queimada nos desertos da Arábia – renascia das próprias cinzas e cantava transfigurada.

Deus é o renovado amanhã.

O que fazem os amantes pelos bares e praias, pelas árvores de noturnas ruas e nos leitos secretos senão cumprir um ritual de crença no amanhã?

E o ano mais uma vez termina. E estamos comendo e bebendo as horas que faltam e ansiando por um novo dia. Também são assim os primitivos, quando celebram o *potlach*. Vão destruindo os objetos, as memórias que ficaram para reinaugurarem um ano novo.

Oh, amanhã! Os que vão viver te saúdam.

MISTÉRIOS GOZOSOS

*U*ma coisa especial ocorre com a mulher depois que ama. Reparem, estou dizendo, depois que ama. Não estou me referindo a ela enquanto está no ato do amor. Disso se pode falar também, e a literatura a partir do romantismo e depois o cinema, modernamente, já tentaram de várias formas simular na relação amorosa como a mulher suspira, se contorce, desliza as mãos e entreabre a boca do corpo e da alma.

Mas, quando digo "depois que ama", refiro-me ao estado de graça que a envolve após o gozo ou gozos, e que perdura horas e horas e às vezes dias. Fica macia que nem gata aos pés do dono. Mais que gata, uma pantera doce e íntima. Sua alma fica lisinha, sem qualquer ruga. A vida não transcorre mais a contrapelo. Desliza. Ela tem vontade de conversar com a flores, com os pássaros, com o vento. Sobretudo, descobre outro ritmo em sua carne. É tempo do adágio, de calma e fruição. Nesse período, aliás, o tempo pára. Em estado de graça ela se desinteressa do calendário. O cotidiano já não a oprime. As tarefas da casa, pesadas em outras ocasiões, tornam-se leves, os compromissos mais enjoados podem ser acertados, as tragédias dos jornais já não lhe dizem tanto respeito. O trabalho no escritório torna-se leve, pode ser feito quase cantando.

Algumas desenvolvem uma súbita necessidade de tecer, outras de aninhar. Querem bordar, costurar, arrumar coisas na casa, entram em clima de nidificação. É a hora de uma ociosidade amorosa. Outras querem presentear o amado e o mundo com pratos sutilíssimos e saborosos. O fato é que a mulher nessa atmosfera sai do trivial, se angeliza e, glorificada, pervaga pela casa.

O homem, animal desatento, às vezes não se dá conta. Em geral, nunca se dá conta. Ou dá-se conta nos primeiros minutos após o ato de amor, e depois se deixa levar pela trivialidade, deixando-a solitária em sua felicidade clandestina.

Na verdade, ela sobrepaira ao tempo, está adejando em torno do amado, que deveria suspender tudo para sentir desenhar-se em torno de si esse balé de ternuras. Deveria o homem avisar ao escritório: hoje não posso ir, estou assistindo à reverberação do amor naquela que amo. E como isso se assemelha à floração rara de certas plantas, os amados deveriam interromper tudo: seus negócios e almoços e ficarem ali, prostrados, diante da que celebra nela o que ele ajudou a deslanchar.

Já vi algumas mulheres assim. Era capaz de pressentir a 115 metros que elas estavam levitando de tanto amor que seus amados nelas desataram. Há uma coisa grave na mulher que foi ao clímax de si mesma. Que não esteja distraído o parceiro ou parceira. Ela tem mesmo um perfume diverso das demais. É um cio diferente. É quando a mulher descerra em si o que tem de visceralmente fêmea, fêmea tranqüila que, mais que possuída, possui algo que atingiu raramente. As outras mulheres percebem isso e a invejam. Os machos farejam e se perturbam. É como se estivessem num patamar seguro a se contemplar. É quase parecido a quando a mulher vive a maternidade. Mas aqui é ainda diferente, porque na maternidade existe algo concreto se movimentando dentro dela. Contudo, nessa atmosfera que se segue a uma epifânica sessão de amor, é diverso, porque ela está acariciando uma imponderável felicidade.

Estou falando de uma coisa que os homens não experimentam assim. O gozo masculino é mais pontual e parece se exaurir pouco depois do próprio ato. Só os escolhidos, os de alma feminina, vez por outra, o sentem prolongar-se dentro de si. Mas, em geral, é diferente. Terminado o ato, uns até rolam para o lado e dormem como se tivessem tirado um fardo do ombro, outros acendem o cigarro, vestem suas ansiedades e voltam ao trabalho.

É constatável, no entanto, que o homem apaixonado também transmite força, alegria, energia. Ele oscila entre Alexandre o Grande e o artista que chegou ao sucesso. Também brilha. Mas é diferente. E não é disto que estou falando, senão do gozo feminino que não se esgota no gozo e se derrama em gestos e atenções por horas e dias a fio.

Freud andou várias vezes errando sobre as mulheres e, por exemplo, colocou equivocadamente aquela questão de que a mulher teria inveja do homem por ser este um animal fálico etc.

Convenhamos: inveja têm (e deveriam ter) os homens quando prestam atenção no fenômeno que ocorre com as mulheres, que ao serem amadas atingem o luminoso êxtase de si mesmas, como se tivessem rompido uma escala de medição trivial para lá da barreira dos gemidos e amorosos alaridos.

É isso: quando a mulher foi amada e bem amada, ela ingressa nessa atmosfera sagrada, cuja descrição se aproxima daquilo que as santas estáticas descreveram. Uma aura de mistério as envolve. E isso, por não ser muito trivial, por não ser nada profano, talvez se assemelhe aos mistérios gozosos de que muitos místicos falaram.

ENVELHECER: COM MEL OU FEL?

Conheço algumas pessoas que estão envelhecendo mal. Desconfortavelmente. Com uma infelicidade crua na alma. Estão ficando velhas, mas não estão ficando sábias. Um rancor cobre-lhes a pele, a escrita e o gesto. São críticos azedos do mundo. Em vez de críticos, aliás, estão ficando cítricos, sem nenhuma doçura nas palavras. Estão amargos. Com fel nos olhos.

E alguns desses, no entanto, teriam tudo para ser o contrário: aparentemente tiveram sucesso em suas atividades. Maior até do que mereciam. Portanto, a gente pensa: o que querem? Por que essa bílis ao telefone e nos bares? Por que esse resmungo pelos cantos e esse sarcasmo público que se pensa humor?

Isto está errado. Errado, não porque esteja simplesmente errado, mas porque tais pessoas vivem numa infelicidade abstrusa. E, ademais, deveria-se envelhecer maciamente. Nunca aos solavancos. Nunca aos trancos e barrancos. Nunca como alguém caindo num abismo e se agarrando nos galhos e pedras, olhando em pânico para o buraco enquanto despenca. Jamais, também, como quem está se afogando, se asfixiando ou morrendo numa câmara de gás.

Envelhecer deveria ser como plainar. Como quem não sofre mais (tanto) com os inevitáveis atritos. Assim como a nave que sai do desgaste da atmosfera e vai entrando noutro astral, e vai silente, e vai gastando nenhum-quase combustível, flutuando como uma caravela no mar ou uma cápsula no cosmos.

Os elefantes, por exemplo, envelhecem bem. E olha que é uma tarefa enorme. Não se queixam do peso dos anos, nem da ruga do tempo e, quando percebem a hora da morte, caminham pausadamente para um certo e mesmo lugar – o cemitério dos elefantes, e aí morrem, completamente, com a grandeza existencial só aos grandes permitida.

Os vinhos envelhecem melhor ainda. Ficam ali nos limites de sua garrafa, na espessura de seu sabor, na adega do prazer. E vão envelhecendo e ganhando vida, envelhecendo e sendo amados e, porque velhos, desejados. Os vinhos envelhecem densamente. E dão prazer.

O problema da velhice também se dá com certos instrumentos. Não me refiro aos que enferrujam pelos cantos, mas a um envelhecimento atuante como o da faca. Nela o corte diário dos dias a vai consumindo. E, no entanto, ela continua afiadíssima, encaixando-se nas mãos da cozinheira como nenhuma faca nova.

Vai ver, a natureza deveria ter feito os homens envelhecerem de modo diferente. Como as facas, digamos, por desgaste, sim, mas nunca desgastante. Seria a suave solução: a gente devia ir se gastando, se gastando, se gastando até desaparecer sem dor, como quem, caminhando contra o vento, de repente, se evaporasse. E iam perguntar: cadê fulano? E alguém diria – gastou-se, foi vivendo, vivendo e acabou. Acabou, é claro, sem nenhum gemido ou resmungo.

Isso seria muito diferente de ir envelhecendo por um processo de humilhações sucessivas como essa coisa de ir deixando rins, pulmão, dentes e intestinos pelas mesas de cirurgia, numa mutiladora dispersão.

Acho que o que atrapalha alguns maus envelhecedores é a desmesurada projeção que fizeram de si mesmos. Se dimensionaram equivocadamente. Deveria ser proibido, por algum mecanismo biológico, colocarmos metas acima de nossas forças. Seria a única solução para acabar de vez com a fábula da raposa e as uvas. Assim, a raposa não envelheceria resmungando por não ter devorado o que não lhe pertencia. Deveria, portanto, haver um *relais*, que desligasse nossos impulsos toda vez que quiséssemos saltar obstáculos para os quais não temos músculos. Assim, sofreríamos menos e não amargaríamos não ter tido certas mulheres, conquistado certos reinos, escrito certas obras-primas.

A literatura tem lá seus personagens-símbolos a esse respeito: o *Fausto* e o *Dorian Gray*. Apavorados com a velhice e a morte, venderam a alma ao diabo e pediram a juventude de volta. Não deu certo. O diabo não joga para perder. Dizem que a única vez que foi realmente derrotado foi naquela disputa com o próprio Deus a respeito de Jó. Mesmo assim, deu um trabalho danado.

Especialistas vão dizer que envelhece mal o indivíduo que não realizou suas pulsões eróticas essenciais: aquele que deixou coagulada ou oculta uma grande parte de seus desejos. Isso é verdade. Parcial, porém. Pois não se sabe por que estranhos caminhos de sublimação há pessoas que, embora roxas de levar tanta pancada na vida, têm, contudo, um arco-íris na alma.

Bilac dizia que a gente deveria aprender a envelhecer com as velhas árvores. Walt Whitman tem um poema onde vai dizendo: "Penso que podia ir viver com os animais que são tão plácidos e bastam-se a si mesmos."

Ainda agora tirei os olhos do papel e olhei a natureza em torno. Nunca vi o Sol se queixar no entardecer. Nem a Lua chorar quando amanhece.

O ESCRITOR, O LEITOR

O escritor é aquele que escreve o texto que ninguém escreveu por ele. Pudesse não escrever, ficar só lendo o que já está escrito, o escritor talvez se realizasse mais. Encontraria já pronto, inteiriço, o texto procurado e se dispensaria de tanto sofrimento, das ameaças de fracasso quando se põe a escrever.

Entendam-me: estou quase dizendo que o escritor é aquele que escreve por carência. Mas não posso dizer isso, porque a maioria dos carentes não escreve. E a carência do escritor, se eu disser que ele a tem, é diferente. O escritor, então, é o que escreve por uma abundante carência. Carência, repito, de ler aquilo que ele precisava ler e ninguém ousou escrever por ele. Então, desamparado, ele diz: vou correr meu próprio risco. Vou ter que inventar minha própria escrita. E arranca de si o inexistente espelho.

Assim, o escritor é aquele que emerge da precariedade. Precariedade dos textos que lhe são apresentados. É como se, entre ele e os textos que lhe são trazidos, dissesse: há uma falácia, falta algo que eu não sei, mas vou ter que completar.

Nisso, é como qualquer artista ou artesão. O mundo, como está, não lhe basta. Falta-lhe algo. Por isso, o artista planta aqui e ali uma escultura, desenha aqui e ali um quadro, ergue aqui e ali um edifício, dança, porque os gestos cotidianos não lhe bastam, compõe uma música para compensar o silêncio em torno.

O escritor é um leitor precavido. O escritor é um pré-leitor. Pode ser também um leitor pervertido.

Que inveja, que saudade tem o escritor do leitor puro, aquele que ele nunca poderá ser!

Talvez o leitor puro, o leitor que só lê, seja o escritor mais perfeito, o escritor mais feliz, pois é autor gracioso de tudo que lê. Autoriza-se em vários estilos. Escreve-se em vários gêneros. E tem uma vantagem: não tem dívidas para com a posteridade. Apodera-se de cada texto que lê, torna-se pleno com a plenitude alheia.

Mas tudo que estou dizendo ainda não me fez dizer tudo o que tinha a dizer. De certo modo é como se estivesse querendo ponderar que o escritor é aquele que lê enquanto escreve. Ele lê e escreve ao mesmo tempo. Com uma agravante: não gostando do que está lendo, pode reescrever. Desse trabalho é poupado o leitor puro.

Pode, então, o escritor nascer da leitura. Da leitura do outro, que não da própria leitura. Então, voltamos ao ponto inicial, mas com uma diferença, porque diante do texto alheio há dois tipos de escritores/leitores.

Primeiro o escritor/leitor que é mais leitor que escritor. Nesse caso, o que ele vai instintivamente fazer é reescrever o que está lendo. Ele pensa que está escrevendo. Não está. Está apenas continuando a ler o outro, como se estivesse repetindo um ritmo, uma linguagem de ouvido.

Esses são os escritores da paráfrase. Muitos, aliás, começam assim, e só a muito custo vão se afastando da escrita alheia e achando a sua através de um processo de infidelidade crescente ao original que os originou.

Quando esse desgarramento não ocorre, é que um escritor foi engolido pela escrita do outro, continua a ser mais leitor que autor. Em geral, isso se dá com aqueles que se deixam siderar por outra escrita. Há muitos autores que passam a vida toda tantalizados por outra escrita, e assim vão morrendo como mariposas à luz do fogo.

Às vezes, o descolamento da escrita original se dá por inversão, repulsão imediata, vontade de fazer o contrário, o diferente. E daí vem a síndrome da paródia. É muito salutar, em princípio. Parece-se ao gesto do adolescente que repudia a família, o pai, a origem.

Mas aí há um perigo. Corre o risco, o escritor, de ficar a vida inteira apenas nesse gesto adolescente de repulsa ao texto anterior. Mesmo pela negação, continua ligado umbilicalmente à matriz.

Portanto, a coisa é complicada. A imitação pode castrar. A paródia pode enganar.

Já li que o escritor é aquele que inventa seu público, que ensina seu público a lê-lo. Isso faz sentido. Porque o escritor é aquele que aprendeu a se ler para se escrever. Portanto, o aprendizado é de lado a lado.

Haveria na literatura algo parecido com aquilo que Pirandello descreveu? Ou seja: o personagem à procura do autor? Será que o texto sai também à procura do autor que encene a sua paternidade?

Na borda fantástica do espelho literário, essa alucinação é possível. Muitos textos saíram à procura de Borges. Textos existentes e textos inexistentes. Borges ia passando e os textos, cumprindo um mandamento bíblico, iam abandonando pai e mãe, enfim, toda a parentela, para segui-lo. E ele nazarenamente os ia recolhendo, recolhendo seu sermão, da montanha de livros que ia lendo.

Esse o exemplo daquele que sendo puro escritor é também puro leitor.

Ideal, enfim, que só os grandes místicos da literatura podem atingir.

O QUE É UM JUDEU?

Durante os dez dias que passei em Israel, uma pergunta surgia sempre, espontânea e provocadoramente: o que é um judeu? E era tão constante nos debates e conversas, que acabou virando uma piada obsessiva em todas as entrevistas. E ao tomar o avião de volta e ler *The Jerusalem Post* constatei que a questão estava longe de terminar, pois ali havia um debate em torno da mesma indagação. Naquela semana os judeus americanos foram a Israel pressionar o parlamento contra uma emenda que dá direito a um rabinato ortodoxo de dizer quais as conversões ao judaísmo que são válidas. Os judeus americanos revoltam-se por serem considerados judeus de segunda classe, sobretudo se se considera que são seis milhões e que dão uma grande quantidade de dólares para Israel. Os radicais em Israel revidam dizendo que quem quer dar opinião sobre o país que vá viver lá. É uma situação esdrúxula. Por isso circula uma piada de que sionista é um judeu que dá dinheiro a um segundo judeu, que o dá a um terceiro, para ir viver em Jerusalém.

A pergunta *quem* e o *que* é um judeu existe há três mil anos, diz o novelista A. B. Yeochua. Ela se repete até no parlamento, onde existem árabes e drusos, além de assessores beduínos.

O fato é que há uma diferença inicial entre um judeu, um israelense e um sionista. Conforme a tradição, judeu é aquele que é filho de mãe judia. Não é necessário que fale hebraico ou acredite em Jeová. Isso provoca um problema, pois como lembra Yeochua, pelo menos uns três milhões de mortos no holocausto da Segunda Guerra, considerados judeus pelos nazistas, talvez não fossem filhos de mãe judia. Já um israelense é aquele que tem a cidadania de Israel; neste sentido os milhares de árabes que lá vivem são israelenses e por isso têm representação no parlamento. Já os sionistas lutam pela existência do Estado, apesar de viverem às vezes fora de Israel. E há sionistas de direita e de esquerda, e dos 120 deputados 110 são sionistas.

É complicadíssimo, Yeochua diz: um negro não pode deixar de ser negro, um judeu pode deixar de ser judeu. Ser judeu é uma escolha, não um destino. Para ele existe um vazio nas definições do *judeu*. Mas Natan Lerner sustentou posição diversa. Reconheceu que o judeu é uma "entidade étnica-religiosa-histórica com um corpo de doutrinas". Mas confirmando a singularidade de certas situações narrou um episódio: um judeu se fez católico e virou padre. Foi ser sacerdote em Haifa. A Suprema Corte aceitou-o como cidadão, mas não como judeu, alegando que "o homem da rua" não o reconheceria como judeu.

Como a pergunta "o que é um judeu?" se tornasse já obsessiva para os escritores convidados em Israel, num jantar com o general Uzi Narkis, a pergunta também lhe foi feita. E respondeu: "Ser judeu é sentir-se como judeu. Há algo que se chama judeu. Aos judeus interessa serem judeus. É como se tivessem recebido um mandato de gerações. Pode ser mandato mítico ou histórico. Só esse mandato explica por que depois de milhares de anos sobrevivem os judeus. Me perguntei várias vezes por que construíram a cidade sob o templo e não numa colina mais alta, já que em outro lugar seria mais fácil defender-se. Há outros lugares mais bonitos. Aqui não há água e alimento suficiente, mas há o ar para o pensamento espiritual. É o melhor lugar que podiam escolher."

– O senhor acredita no Messias?

– Não – respondeu o general.

– E se Jesus chegasse hoje em Jerusalém?

– Cada coisa que ocorre aqui exige uma solução do governo. O governo vai dar a Cristo uma recepção digna. Nomeará uma comissão, e, antes que acabe de chegar, já estará tudo decidido.

O professor Israel Eldar, luminosa criatura, defende a idéia de que o judaísmo é uma verdade em movimento. É o presente que determina o passado e o futuro, e não o contrário como querem os conservadores. E ousou dizer: "o Eclesiastes está errado quando diz 'não há nada de novo sob o Sol', pois a história não se repete."

E Moshe Liba explica que está ocorrendo uma mudança no conceito e comportamento dos judeus. Os mais novos não se preocupam de falar muitas línguas, senão o hebraico. Durante dois mil anos não tiveram tradição guerreira e hoje são dos melhores soldados do mundo. Não tinham tradição de agricultores e se fizeram agricultores. E, contrariando a tradição, os bancos israelenses não estão muito bem.

O que é um judeu? A questão continua. Em Israel convivem a pluralidade e a contradição. E, no entanto, o país avança. E, para terminar, um exemplo dos mais surrealistas: há uma seita de ortodoxos que não reconhece o Estado de Israel, pois este não pode ser fundado por homens, só pelo Messias. Por isso, não só desobedecem as leis do país, mas já pediram ao rei da Jordânia que os ajude a destruir o falso Estado de Israel.

PERTO E LONGE DO POETA

Conheci Drummond aos 17 anos, ali no seu gabinete no Ministério da Educação. Havia lhe enviado uma cartinha interiorana e alguns poemas, e agora subia o elevador para vê-lo de perto.

Naquele tempo, Manuel Bandeira é que era o mais celebrado poeta do país. Drummond mesmo o louvava em prosa e verso. E eu, achando-me destemido e justiceiro, na conversa comuniquei ao poeta que eu o achava melhor e mais importante que Bandeira. Era uma maneira adolescente e estouvada de declarar amor. Fui taxativo. E estava certo. Ele sorriu desconversando porque nunca soube o que fazer quando lhe mostravam o afeto à flor da pele.

Do que se falou ali durante uns quarenta minutos não me lembro muito. Estava tão encantado de poder ouvi-lo, que me lembro vagamente de algumas frases e sugestões. E o fato é que a partir daí julguei-me com permissão para incomodá-lo. Discretamente. De quando em quando. O mínimo possível. Praticando aquilo que ele recomendava – um distanciamento e uma proximidade relativos.

Isso explica uma cena quase absurda acontecida entre nós. Uma cena só justificável entre dois mineiros e entre um mestre e um discípulo, que tem também suas crises de timidez.

Uma outra feita, vinha eu de Minas. E lá ia em direção ao seu gabinete. Vir ao Rio e visitar certos escritores era um ritual. Um ritual que só pode fazer quem mora no interior, pois quem vive aqui não tem tempo para isto. Então, lá ia eu para o MEC. Desci ali no centro, caminhei sob as colunas do prédio de Niemeyer, passei pelos azulejos de Portinari e fui na direção do elevador.

Não havia ninguém na fila. Eu sozinho. Chegou o elevador, entrei.

Quando estou lá no fundo do elevador, vejo vir a figura do poeta. Também sozinho. Vem e entra naquela angustiante caixa de madeira. Mas ele vinha como sempre vinha: com os olhos no chão, cabisbaixo, meditativo, voltado para suas montanhas interiores. Vinha com o seu terno, seus óculos, sua gravata, sua mitologia, mas olhando para o chão.

E ali estamos os dois. Em silêncio total. Eu, um adolescente acuado num ângulo do elevador, como se ele – o poeta – fosse o domador. De sua parte, ele é que estava acuado no ângulo oposto; e olhando para o chão de si mesmo sabia que do outro lado havia uma presença humana qualquer.

E o elevador subia. Subia e nenhum dos dois denunciava a presença do outro.

Ele com o olho fixo no chão. E eu pensando: não me viu. Ou melhor (como mineiro, julgando): ele não me reconheceu, não quer me ver, meu Deus, que é que eu vim fazer aqui? O homem está ocupado e eu subindo para chateá-lo.

E o elevador subia. Não parava em nenhum andar. Não aparecia nenhum passageiro para nos socorrer. Se entrasse alguém talvez ele levantasse o olho do chão, quem sabe me reconheceria. Mas não entrava ninguém. E o elevador subindo.

A mim parecia que o prédio do MEC tinha ficado da altura do Empire State Building, em Nova York. Mas-eissenão-quando a porta se abre e o elevador chega ao andar em que o poeta trabalhava.

Que fazer? Saio junto com ele? Vou andando por "acaso" no corredor e o encontro por "acaso"? Espero que ele chegue à sua sala e depois apareço lá como que por encanto "Oh, que surpresa! Há quanto tempo..."

Resultado: o elevador parou. O poeta saiu. Eu fiquei, fiquei com o elevador subindo outra vez até o fim, até onde pode subir uma pessoa confusa e equivocada. Subi e desci. Desci sem dirigir uma só palavra ao poeta que fora visitar. Tomei o ônibus para Minas sem falar com ele.

Aconteceu só essa vez? Não. Muitas outras. Uma vez ficamos vendo livros, uns quinze minutos, na vitrina da Leonardo da Vinci, sem nos olharmos e nos cumprimentarmos. A mesma síndrome. O mesmo respeito. E olha que nessa altura eu já era um homem viajado, já havia morado no exterior, visitado sua casa, levado para a minha o seu arquivo e escrito minha tese sobre ele.

Mas não tinha jeito. De repente, dava aquele respeito e não mexia um dedo. Ele construía uma tal atmosfera de individualidade, que às vezes era impenetrável. No entanto, outra vez nos encontramos na rua, e como eu vinha sofrendo como um cão danado do mal de amor, me fez enormes confidências sobre sua juventude amorosa... Outra vez apareceu em casa com um presente, me assustando e encantando a mim e a Marina.

Era um homem imprevisto. Respeitava e se fazia respeitar, até mesmo pelos seus poucos inimigos. Agora se foi. Ele que vivia com aquele ar de quem estava mal alojado e sempre se despedindo.

Na verdade, Drummond não morreu. Apenas nos deixou a sós com os seus textos. Textos com os quais temos uma intimidade total, que nada pode inibir.

PORTA DE COLÉGIO

Passando pela porta de um colégio, me veio uma sensação nítida de que aquilo era a porta da própria vida. Banal, direis. Mas a sensação era tocante. Por isso, parei, como se precisasse ver melhor o que via e previa.

Primeiro há uma diferença de clima entre aquele bando de adolescentes espalhados pela calçada, sentados sobre carros, em torno de carrocinhas de doces e refrigerantes, e aqueles que transitam pela rua. Não é só o uniforme. Não é só a idade. É toda uma atmosfera, como se estivessem ainda dentro de uma redoma ou aquário, numa bolha, resguardados do mundo. Talvez não estejam. Vários já sofreram a pancada da separação dos pais. Aprenderam que a vida é também um exercício de separação. Um ou outro já transou droga, e com isto deve ter se sentido (equivocadamente) muito adulto. Mas há uma sensação de pureza angelical misturada com palpitação sexual, que se exibe nos gestos sedutores dos adolescentes. Ouvem-se gritos e risos cruzando a rua. Aqui e ali um casal de colegiais, abraçados, completamente dedicados ao beijo. Beijar em público: um dos ritos de quem assume o corpo e a idade. Treino para beijar o namorado na frente dos pais e da vida, como quem diz: também tenho desejos, veja como sei deslizar carícias.

Onde estarão esses meninos e meninas dentro de dez ou vinte anos?

Aquele ali, moreno, de cabelos longos corridos, que parece gostar de esportes, vai se interessar pela informática ou economia; aquela de cabelos loiros e crespos vai ser dona de butique; aquela morena de cabelos lisos quer ser médica; a gorduchinha vai acabar casando com um gerente de multinacional; aquela esguia, meio bailarina, achará um diplomata. Algumas estudarão Letras, se casarão, largarão tudo e passarão parte do dia levando filhos à praia e à praça e pegando-os de novo à tardinha no colégio. Sim, aquela quer ser professora de ginástica. Mas nem todos têm certeza sobre o que serão. Na hora do vestibular resolvem. Têm tempo. É isso. Têm tempo. Estão na porta da vida e podem brincar.

Aquela menina morena magrinha, com aparelho nos dentes, ainda vai engordar e ouvir muito elogio às suas pernas. Aquela de rabo-de-cavalo, dentro de dez anos, se apaixonará por um homem casado. Não saberá exatamente como tudo começou. De repente, percebeu que o estava esperando no lugar onde passava na praia. E o dia em que foi com ele ao motel pela primeira vez ficará vivo na memória.

É desagradável, mas aquele ali dará um desfalque na empresa em que será gerente. O outro irá fazer doutorado no exterior, se casará com estrangeira, descasará, deixará lá um filho – remorso constante. Às vezes lhe mandará passagens para passar o Natal com a família brasileira.

A turma já perdeu um colega num desastre de carro. É terrível, mas provavelmente um outro ficará pelas rodovias. Aquele que vai tocar rock vários anos até arranjar um emprego em repartição pública. O homossexualismo despontará mais tarde naquele outro, espantosamente, logo nele que é já um don juan. Tão desinibido aquele, acabará líder comunitário e talvez político. Daqui a dez anos os outros dirão: ele sempre teve jeito, não lembra aquela mania de reunião e diretório? Aquelas duas ali se escolherão madrinhas de seus filhos e morarão no mesmo bairro, uma casada com engenheiro da Petrobrás e outra com um físico nuclear. Um dia, uma dirá à outra no telefone, "tenho uma coisa para lhe contar: arranjei um amante. Aconteceu. Assim, de repente. E o mais curioso é que continuo a gostar do meu marido."

Se fosse haver alguma ditadura no futuro, aquele ali seria guerrilheiro. Mas essa hipótese deve ser descartada.

Quem estará naquele avião acidentado? Quem construirá uma linda mansão e um dia convidará a todos da turma para uma grande festa rememorativa? Ah, o primeiro aborto! Aquela ali descobrirá os textos de Clarice Lispector e isto será uma iluminação para toda a vida. Quantos aparecerão na primeira página do jornal? Qual será o tranqüilo comerciante e quem representará o país na ONU?

Estou olhando aquele bando de adolescentes com evidente ternura. Pudesse passava a mão nos seus cabelos e contava-lhes as últimas estórias da carochinha antes que o lobo feroz os assaltasse na esquina. Pudesse lhes diria daqui: aproveitem enquanto estão no aquário e na redoma, enquanto estão na porta da vida e do colégio. O destino também passa por aí. E a gente pode às vezes modificá-lo.

QUANDO OS AMANTES DORMEM

Aussi longtemps que tu voudras
Nous dormirons ensemble.
Aragon

Quando as pessoas se amam ou querem se amar, selam um pacto: dormir juntas. E quando se fala "dormir junto" o sentido é duplo: significa primeiro amar acordado em plena vigília da carne, mas, depois, na lassidão do pós-gozo, deixar os corpos lado a lado, à deriva, dormindo, talvez.

Na verdade, os amantes, quando são amantes mesmo, mesmo enquanto dormem se amam.

Agora ouço estes versos de Aragon cantados por Ferrat: "Durante o tempo que você quiser/ Nós dormiremos juntos." E penso. É um projeto de vida, dormir juntos, continuadamente. A mesma ambigüidade: dormir/amar juntos, dormir/acordar juntos, ou, então, dormir/morrer de amor juntos.

Deve ser por causa disso que os franceses chamam o orgasmo de "pequena morte". Deve ser por isso que os amantes julgam poder continuar amando mesmo através da morte, como Inês de Castro e dom Pedro, que foram sepultados um diante do outro, para que no dia do reencontro um seja o primeiro que o outro veja.

Amor: um projeto de vida, um projeto de morte.

Se numa noite dessas o vento da insônia soprar em suas frestas, repare no corpo dormindo despojado ao seu lado. Ver o outro dormir é negócio de muita responsabilidade. Mais que ver as águas de um rio represado gerando uma usina de sonhos, é ver uma semente na noite pedindo um guardião.

Pode ser banal, mas é isto: amar é ser guardião do sonho alheio.

Os surrealistas diziam: o poeta enquanto dorme trabalha. Pois os amantes, enquanto dormem, se amam. Se amam inconscientemente, quando seus desejos enlaçam raízes e seivas. O pé de um toca o pé do outro, a mão espalmada corre sobre o lençol e toca o corpo alheio e, dormindo, se abraçam aninhados.

Quando isso ocorre, pode ter vários significados. Talvez um tenha lançado um apelo silencioso ao outro: "ajude-me a atravessar este sonho" ou "venha, sonhe este sonho comigo, é bonito demais". E o outro, às vezes, sem se mexer, parte em seu socorro. É que certos sonhos, sobretudo os de quem ama, não cabem num só corpo. Transbordam os poros da noite e pedem cumplicidade. E se há um pesadelo, aí um se agarra ao tronco do outro na crispação do instante, e o corpo do parceiro é bóia na escuridão.

Por isso, no ritual do casamento, quando o sacerdote indaga se os que se amam sabem que terão que se socorrer na saúde e na doença, na opulência e na miséria etc., deveria se inserir um tópico a mais e advertir: amar é ser cúmplice do sonho alheio.

Passar a metade da vida dormindo ao lado do outro. Há pessoas que vivem 25 anos – bodas de prata, 50 anos – bodas de ouro, 75 anos – bodas de diamante ao lado do outro, e não sabem com que o outro sonha. E há quem passe uma tarde, uma noite ou temporada ao lado de um corpo e sabe seus sonhos para sempre.

Engana-se quem escuta o silêncio no quarto dos que amam. Estranhos rumores percorrem o sonho alheio. Não é o rugir do tigre pelas brenhas. Não é o bater das ondas na enseada. Nem os pássaros perfurando a madrugada. São os sonhos dos amantes em plena elaboração. E se numa noite dessas o vento da insônia de novo soprar em suas frestas, olhe pela janela os muitos apartamentos onde pulsam dormindo os amorosos. Quando se compra um apartamento novo, nas alturas, alguns compram lunetas e ficam vasculhando a vida alheia. Mas para ouvir o ruído dos sonhos basta abrir os ouvidos na escuridão. Os sonhos pulsam na madrugada.

Era uma vez um chinês que toda vez que sonhava com sua amada acordava perfumado. Deve ser por isso que, ainda hoje, o quarto dos amantes amanhece com um perfume de almíscar, lavanda e alfazema. E é comum achar troféus dos sonhos ao pé da cama de quem ama. Quando se abre a pálpebra do dia aí pode-se ver um unicórnio de ouro e uma coroa de rubis.

À noite os sonhos dos amantes se cristalizam e de dia se liquefazem em beijo e lágrimas. Quem ama diz boa-noite como quem abre/fecha a porta de um jardim. Não apenas como quem viaja, mas como quem vai para a colheita.

Quando se ama, acontece de um habitar o sonho do outro, e fecundá-lo.

ENCONTRO COM BANDEIRA

*E*u tinha uns 17 anos. E Manuel Bandeira era, então, considerado o maior poeta do país. E com 17 anos é não só desculpável, mas aconselhável que as pessoas façam a catarse de seus sentimentos em forma de versos. Os reincidentes, é claro, continuam vida afora e podem pelos versos chegar à poesia.

Morando numa cidade do interior, eu olhava o Rio de Janeiro onde resplandecia a glória literária de alguns mitos daquela época. Então fiz como muito adolescente faz: juntei os meus versos, saí com eles debaixo do braço e fui mostrá-los a Bandeira e Drummond.

Toda vez que, hoje em dia, algum poeta iniciante me procura, me lembro do que se passou comigo em relação a Manuel Bandeira. Para alguns tenho narrado o fato como algo, talvez, pedagógico. Se todo autor quer ver sua obra lida e divulgada, o jovem tem uma ansiedade específica. Ele não dispõe de editoras e, ainda ninguém, precisa do aval do outro para se entender. E espera que o outro lhe abra o caminho e reconheça seu talento.

Ser jovem é muito dificultoso.

O fato foi que meu irmão Carlos, no Rio, conseguiu um encontro nosso com Bandeira. E um dia desembarco nesta cidade pela primeira vez, pela primeira vez vendo o mar, pela primeira vez cara a cara com os poetões da época.

Encurtarei a estória. De repente, estou subindo num elevador ali na Av. Beira-Mar, onde morava Bandeira. Eu havia trazido um livro com centenas de poemas, que um amigo encadernou. Naquela época escrevia muito, trezentos e tantos poemas por ano. E não entendia por que Bandeira ou Drummond levavam cinco anos para publicar um livrinho com quarenta e tantos poeminhas. A necessidade de escrever era tal, que dormia com papel e lápis ao lado da cama ou, às vezes, com a própria máquina de escrever. Assim, quando a poesia baixava nos lençóis adolescentes, bastava pôr os braços para fora e registrar. E assim podia dormir aliviado.

Mas o poeta havia pedido aos intermediários que eu fizesse uma seleção dos textos. O que era justo. E Bandeira tinha sempre uma exigência: o estreante deveria trazer algum poema com rima e métrica, um soneto por exemplo. Era uma maneira de ver se o candidato havia feito opção pelo verso livre por incompetência ou com conhecimento de causa.

Abriu-se a porta do apartamento. Eu nunca tinha estado em apartamento de escritor. A rigor não posso nem garantir se havia visto algum escritor de verdade assim tão perto. E não estava em condições emocionais de reparar em nada. Fingia uma tensa naturalidade mineira. O irmão mais velho ali ao lado para garantir.

A conversa foi curta. Tudo não deve ter passado de dez ou quinze minutos. Me lembro que Bandeira estava preparando um café ou chá e nos ofereceu. Havia uma outra pessoa, um vulto cinza por ali, com o qual conversava quando chegamos. Bandeira se levantava de vez em quando para pegar uma coisa ou outra. E tossia. Tossia, talvez já profissionalmente, como tuberculoso convicto.

Lá pelas tantas, ele disse: pode deixar aí os seus versos. Não precisa deixar todos, escolha os melhores. Vou ler. Se não forem bons, eu digo, hein?!

– Claro, é isso que eu quero – respondi juvenilmente, certo de que ia acabar gostando.

Voltei para Juiz de Fora. Acho que não esperava que o poeta respondesse. Um dia chega uma carta. Envelope fino, papel de seda, umas dez linhas. Começava assim: "Achei muito ruins os teus versos." A seguir citava uns três poemas melhores e os versos finais do "Poema aos poemas que ainda não foram escritos". Oh! Gratificação! Ele copiara com sua letra aqueles versos: "saber que os poemas que ainda não foram escritos/virão como o parente longínquo,/ como a noite/e como a morte."

Não fiquei triste ou chocado com sua crítica sincera. Olhei as bananeiras do quintal vizinho com um certo suspiro esperançoso. Levantei-me, saí andando pela casa com um ar de parvo feliz. Eu havia feito quatro versos que agradaram ao poeta grande.

A poesia, então, era possível.

DESAPRENDENDO A LIÇÃO

"*H*á uma idade em que se ensina o que se sabe, mas em seguida vem outra idade em que se ensina o que não se sabe." Essa frase de Ronald Barthes é instigante. Desmistifica a prática usual do ensino. Por isso, ele continua seu pensamento afirmando que é preciso "desaprender", "deixar trabalhar o imprevisível" até que surja a chamada "sapiência", uma sensação de "nenhum poder, um pouco de saber", mas com "o maior sabor provável".

E num seminário em Paris, praticando a errância do saber, propôs aos alunos que o encontro na classe não tivesse tema predeterminado. O desejo inconsciente do saber é que deveria aflorar o tema. Ali os alunos deveriam não apenas desejar saber, mas saber desejar. Desejar o saber é uma primeira etapa, mas saber desejar é refinada atitude. Entre um e outro vai a distância do canibal ao *gourmet*.

Como derivação das colocações de Barthes se poderia dizer: o professor pensa ensinar o que sabe, o que recolheu dos livros e da vida. Mas o aluno aprende do professor não necessariamente o que o outro quer ensinar, mas aquilo que quer aprender. Assim o aluno pode aprender o avesso ou o diferente do que o professor ensinou. Ou aquilo que o mesmo nem sabe que ensinou, mas o aluno reteve. O professor, por isso, ensina também o que não quer, algo de que não se dá conta e passa silenciosamente pelos gestos e paredes da sala. É, aliás, a mesma história que se dá com o texto. O autor se propõe a dizer uma coisa, mas o leitor constrói sua leitura segundo suas carências e iluminações. Por isso se equivocou Jacques Derridá ao dizer que o texto escrito segue livre sem paternidade, enquanto o discurso oral é tutelado pelo orador. O orador também não controla seu discurso, pelo simples fato de estar presente. A palavra ao ser pronunciada já não nos pertence. O orador é falado pelo seu discurso. Fala-se o que se pensa que se sabe, ouve-se o que se pensa que foi pronunciado. O sentido é construído a muitas vozes e ouvidos, harmonicamente. Tinha razão o polifônico Sócrates: "A verdade não está com os homens, mas entre os homens."

Repitamos a frase de Barthes: "Há uma idade em que se ensina o que se sabe, mas em seguida vem outra idade em que se ensina o que não se sabe." E adicionamos o seguinte raciocínio: em geral pensa-se que o professor é aquele que "fala", que preenche com seu encachoeirado discurso uma aula de cinqüenta minutos ou um seminário de três horas. Esse é um conceito de ensino como uma atividade "oracular" da parte do mestre, que se complementa numa passividade "auricular" da parte do aluno. Contudo, assim como o espaço em branco é importante no poema, assim como a pausa organiza a música, o saber pode brotar do silêncio. O jorro contínuo de palavras pode ostentar apenas ansiedade. O conhecimento pode se instalar no entreato. O silêncio também fala. É isso que se aprende durante as ditaduras. E, por outro lado, durante as democracias se aprende que o discurso nem sempre diz.

Portanto, à audácia de desaprender o aprendido, soma-se a astúcia do silêncio. No princípio era o Verbo. A construção do silêncio exige muitas palavras. O escritor, por exemplo, constrói uma casa de palavras para ouvir seu silêncio interior.

Comecei falando em Barthes. E aquela frase inicial dele remete não só para a questão do "saber" e do "sabor", mas do "saber" e do "poder". Na verdade, enriquece-se o saber combatendo-se o poder que ele aparenta. E uma forma de incrementar o poder é o "perder". Assim o melhor professor seria aquele que não detém o poder nem o saber, mas que está disposto a perder o poder, para fazer emergir o saber múltiplo. Nesse caso, perder é uma forma de ganhar e o saber é recomeçar.

E para terminar, nada melhor que uma frase de outro desconstrutor de verdades, que é Guimarães Rosa: "Mestre não é quem ensina, mas aquele que, de repente, aprende."

O JOGADOR E SUA BOLA

A bola não é um mero artefato de couro. É um ser alado, de ouro, ave sagrada, que rompe as traves da gaiola, isto quando não é uma flor que ao abrir-se em gols nos mostra a luz de sua corola.

A bola difere do diamante. Não tem arestas. E, no entanto, arisca, risca a pele em ritmo de festa. Não tem arestas, porque é polida, não pela mão, mas pelo pé do ourives, caso se chame Zico ou Pelé.

Se na Espanha a bola fosse um touro, no gol, um toureiro faria da rede a capa ou estola. Mas, sendo no Brasil, ela é samba que o sambista cantarola, é toque na cuíca e caçarola e a bandeira que o passista na avenida desenrola.

O jogador não é só mestre. É um aluno, que carrega consigo a escola. E para ele o mundo é a bola. E sendo a bola seu coração, ele sabe a lição de cor, não cola.

O jogador é um ator. Ele joga, encena a paixão no estádio, tornando público o seu caso de amor com a bola. Mas pode ser dramático ou histrião. Nesse caso, o "ser ou não ser" é um chavão.

A bola é um raio que, quando cai no gol, vira trovão de bombas, gritos e alaridos da multidão.

A bola também tem sua contradição: pede que a persigam e ri da perseguição.

O bom jogador é como o cantor: não sabe mais o limite entre sua voz e a canção.

Ao mau jogador, a bola parece um cacto roliço, um porco-espinho que a canela ou a alma esfola. Ataca como um pivete que quando passa não se consegue pegar pelo pescoço ou gola.

A bola é como o tigre no zoológico da grama. E o jogador é o domador do fero instante sem usar chicote ou chama.

Mais que amante que no campo da cama nos traz o corpo sempre inaugural, o jogador é a cartomante e sua bola de cristal, jogando com o nosso ser, a nos trazer o bem e o mal.

Se a bola é bala, o corpo do jogador é a pistola, e, quando atira furioso, o adversário cai e sai de padiola.

A bola é bela? A bola é a fera que nos abala e desespera? Ou a bola é como a bula, ambígua, veneno e remédio, que nos mata e consola, mulher fatal que nos ama e desola?

Não, a bola não é a Lua, pálida quimera. Mais que a solitária esfera, a bola é um cometa, que de quatro em quatro anos nos assola.

Pensamos olhar a bola, mas a bola com seu olho é que nos olha.

A bola é como a Terra: redonda e humana. É como o homem: cheia de ar, pura arrogância. A bola é nossa errância.

A bola não é coisa de adulto. É o que sobrou da infância.

Se o campo é um labirinto de pernas, a bola é um fio de novelo que desenrola. Nos foi dado por Ariadne, contra o Minotauro e a degola.

O jogador é um prestidigitador, que na última hora ante a torcida aflita tira um gol de sua cartola.

Também é um ilusionista, coisa de artista de circo, que faz da bola argola, causando no estádio espanto e sobre a cabeça do atleta a bola se faz auréola fazendo do homem um santo.

O jogador, enfim, é um escritor. Ele joga com o instante e a glória. Tem os pés no chão e a cabeça nas nuvens, para cabecear a história.

O jogador é um poeta. E como poeta um fingidor. E joga tão perfeitamente que nos faz pensar que é poesia o que é jogo simplesmente.

A CARNE VIVA

Hypocrite lecteur,
mon semblabe, mon frère
Baudelaire

Hipocritamente durmo na madrugada enquanto bois são abatidos nos frigoríficos da manhã.

Durmo hipocritamente sem ver o sangue que escorre pelas calhas da noite e começam a subir, ondeando, pelos pés de minha cama. Durmo sem ver o olhar do boi no matadouro. O olhar. O berro. A morte.

Tapo os ouvidos, mas os grunhidos dos porcos rasgam o pêlo da noite. O sangue espirra do curral da madrugada e homens ávidos vão desenrolando as tripas da fera, que estrebucha, para convertê-las em lingüiça que hipócrita e porcamente me serão servidas.

Uma vez contaram-me como se matam gansos na França. Os bois, a gente pode pensar, levam aquela pancada súbita na cabeça e desmontam sua carcaça no ladrilho. Mas os gansos são cevados, como não se cevam os frangos. Os frangos sabem que vão morrer nos campos de concentração vigiados pela SS dos frigoríficos. Mas os gansos conhecem o martirológio dos santos e penitentes.

Começam a engordá-los. Ou, pior: cevá-los forçadamente. Os frangos, sabemos, são alimentados também artificialmente; deixam aquelas luzes acesas noite e dia, e eles comendo, bicando, comendo, bicando os segundos, bicando os minutos numa engorda rápida e lucrosa.

Mas os gansos são agarrados à força. E então começa-se, por um funil, a socar para dentro deles a ração. Um funil ou moedor para que a comida já vá direto para dentro, chegue mais rapidamente ao fígado, que em forma de patê colocarei em minha mesa no fim de semana na casa de campo. Mas não é sobre gansos que estou escrevendo especificamente, e sim sobre a carne que para mim se prepara na escuridão hipócrita de minha fome.

Na infância de todo mundo (pelo menos no interior e antigamente) havia sempre uma galinha que alguém começou a matar na cozinha. E foi-se cortar o pescoço dela, tendo as asas presas sob os pés contra o ladrilho, e, de repente, ela se soltou. Se soltou e saiu com o pescoço pendurado jogando sangue pelas paredes até fanar-se no degrau para o quintal.

Há quem vá aos restaurantes especializados em peixes, porque quer ver o peixe vivo, o peixe que vai escolher no aquário. E aponta-se com o dedo, "quero aquele ali", e se senta à mesa, enquanto na cozinha jogam lagostas vivas na água fervente e champanha espuma sua indiferença na taça dos reis.

Carne deveria dar em árvore.

Mas um dia me mostraram uma árvore que sangra. Meu caseiro espetava-lhe um prego, arame ou qualquer instrumento torturante, e lá vinha aquela gota vermelha.

Um dia passei sob ela. Suas folhas choravam vermelho sobre mim. Não era chuva radioativa, eram lágrimas de uma árvore em carne viva.

E não faz muito descobriram que os vegetais também são seres humanos. Já ouviram tomate chorar e laranjas terem vertigem quando colheram uma ao seu lado para a lâmina da morte.

Carne e legumes deveriam cair como maná do céu. Aquele maná misterioso que choveu sobre o povo perdido no deserto. Pelo menos era assim que antigamente se pensava: a vida alheia era para nos alimentar. Naturalmente. Não hipocritamente, como hoje.

Contudo, a esta hora os açougues na França estão exibindo dependurados em suas portas peludos javalis, aves de penas enormes e coloridas, como se tivessem saído de um quadro de natureza-morta dessangrando nosso zoológico sadismo.

E a esta hora estão no Brasil pegando leitõezinhos que, assados, ainda ganham sobre o nariz uma rodela de laranja e aqui e ali azeitonas e outros adereços. E quando postos sobre a mesa nos olham, tão sorridentes e cínicos como nós.

Se mexermos na sopeira com certa convicção pernas de galinha virão boiando, num cemitério aquático de dar água no céu da boca dos mais místicos. Os mais sedentos, é claro, poderão beber o sangue do frango ao molho pardo, já que não basta o sangue condensado nos chouriços.

Hipocritamente me assento numa churrascaria. Bebo um chope junto com a caipirinha e peço voluptuosamente uma picanha. Por que não um churrasco completo? Sim, aceito. E lá vêm os cadáveres eufóricos correndo para meu prato: tomo a faca, empunho o garfo como um guerreiro tártaro. E como. E rumino. E mastigo. E gosto. O sangue da vítima vai se misturando ao meu civilizadamente. Barbaramente.

O pior antropófago é o que tem remorsos de sobremesa. Eu. E você. Meu hipócrita leitor, meu semelhante, meu irmão.

A METAFÍSICA DA BARBA

Não se conhece bem o homem que nunca deixou a barba crescer. Digo isso sem preconceitos, porque não pertenço mais à confraria dos barbados. Mas estou convencido de que se conhece mal o homem que nunca deixou irromper na floresta de seu rosto, o outro, o selvagem, o agente adormecido, o hirsuto.

Não quero tirar a sabedoria de imberbe algum. Apenas fazê-lo cogitar do quão basta ela poderia ser estampada no seu rosto. Os deuses sempre tiveram barbas. Jeová sem barba não ditaria sequer o primeiro dos mandamentos. Por isso, Moisés subiu a montanha barbudamente. Vejam Napoleão, sem barba, um desastre. Já os generais brasileiros do século XIX, barbados, não perderam uma guerra.

Claro que estou brincando. E falando sério. Mas a ambigüidade não é minha. Cristo até o século VI era apresentado como imberbe. Sacerdotes egípcios raspavam todos os pêlos do corpo, mas algumas rainhas, para representarem o poder, usavam barba postiça.

Barba é um assunto seriíssimo. O leproso era obrigado a usar um véu sobre a barba. Pedro o Grande declarou a barba infame e cobrava impostos dos barbados. Os *hippies* e Fidel Castro, nos anos 60, reinventaram a barba para disputar o poder.

Ninguém deixa a barba crescer de um dia para o outro impunemente. Claro que em alguns períodos isso pode ser moda pura, e aí o gesto perde sua gravidade. A barba autêntica é aquela que nasce de uma crise que precipita o indivíduo nas cavernas do seu ser. Grandes místicos acordam um dia com a cabeleira encanecida após uma luta mortal entre anjos e demônios. Também da face de um profano podem escorrer os pêlos da metamorfose numa inesperada manhã.

Há mulheres que, tendo conhecido a sabedoria erótica da barba nos lençóis do dia, nunca mais se contentarão com a banalidade barbeada de outros amores. Conheci uma que só alcançou o Himalaia do seu erotismo quando o santo amante a elevou aos píncaros de sua barba. Conheci também casos dramáticos: um dia o marido foi ao barbeiro e, aceitando uma provocação, ordenou-lhe que raspasse de vez o cavanhaque e o bigode. Aceitava o desafio. Ia mudar a cara da vida. Contudo, ao regressar para casa os vizinhos já o estranharam e alguns nem o cumprimentavam. Ao abrir a porta, a filha deu um grito. A esposa acorreu, viu e desfaleceu. Depois, um conselho da família condenou o réu. O que pensava ele? Aquele cavanhaque pertencia à família. Resultado: o humilhado pai, o abatido esposo ficou uma semana num consternado face a face com a família até que recomposto o cavanhaque pudesse desfilar pela vizinhança.

Se isso acontece a um simples cavanhaque, imaginem o que sucede a quem, de repente, não mais que repentinamente, raspa a sua peluda imagem do olho alheio.

As pessoas pensam que a sua imagem é delas. Não é. É também incalculavelmente dos outros. A comunidade exerce um controle sobre a imagem alheia. Passa por aí todo o fenômeno de estar na moda, inserir-se num padrão social. Tentem divorciar-se, mudar de religião, hábitos sexuais etc. Os demais sentem um terremoto nos pés. Foram traídos. Acham que o outro rompeu o equilíbrio do sistema. Um presidente não pode brotar e tirar a barba à revelia, como edita decretos.

Quando se tem barba descobre-se um outro lado do homem-idade; os barbudos são uma confraria. Deveria até haver uma sociedade que os abrigasse, tipo maçonaria. Eles se observam se estudando minuciosamente, discretamente, nos teatros, bares e até num relance de olhos na calçada. Avaliam a barba do parceiro como só as mulheres sabem avaliar um penteado, uma jóia ou vestido na outra. Quem tem espessa barba olha sempre condescendente para quem tem a rala barba de bode. Ter aquela barbona é coisa de animal macho, conferindo a superioridade de seus chifres na campina para o controle da fêmea.

Indizível prazer é esse de cofiar a barba. Inconsciente. Ritualisticamente. Enquanto se lê, enquanto se aguarda o outro dizer uma frase estúrdia, enquanto se toma um vinho ou se afaga o cão junto à lareira. No inverno, barba é ótimo. Coisa de urso. Sabiam que o urso cresce o tamanho do pêlo de acordo com o rigor do inverno? Por que não o homem?

Bem dizia Walmor Chagas outra noite num jantar quando se discutia a metafísica da barba: a barba é uma máscara como no teatro; é o outro em nós, um modo de o personagem se experimentar em cena.

A verdade é que a barba faz o sujeito, mas o sujeito faz a barba. Por isso, complementando o que se disse na primeira frase desta crônica, e invertendo-a, não se conhece bem o homem que nunca cortou a barba. A barba, como a sabedoria, administra-se. Não pode vir de fora para dentro.

Raspar a barba na manhã. Recuperar um ritual abandonado. O rosto se amplia. Santos óleos escorrem perfumando o dia. O cara a cara consigo mesmo. Também o debastar, rejuvenescer.

Toda manhã aquele barulhinho; croque-croque, rosque-rosque. O filho dentro e fora do pai vendo-o barbear-se. A luta contra o tempo (croque-croque, rosque-rosque), o tempo agreste, selvagem, que nos olha por trás do espelho irreversivelmente.

COMO NAMORAM OS ANIMAIS

Namorar não é só uma coisa antiga na história humana, é também um ritual comum e diversificado entre os animais. Entre nós as coisas andaram mudando muito nesses vinte anos por causa da pílula. Mas entre os leões, patos e jacarés a cerimônia amorosa vem se repetindo sem transformações.

E o que encanta é ver como tanto entre os animais quanto entre os humanos o ritual é fundamental. Não há amor sem ritual. E cada amante, assim como cada espécie, tem lá seus trejeitos sedutores. O amor, tanto quanto a fome, humaniza os animais e zoomorfiza os homens. Não é à toa que Manuel Bandeira, naquele poema "Namorados", faz o rapaz dizer à moça: "Antônia, você parece uma lagarta listrada."

Os faisões, por exemplo, se entregam a uma curiosa coreografia. O macho começa a operação sedução limpando na floresta um espaço de três metros, varrendo-o de gravetos e pedras. Feito isso, abre suas plumagens radiosas e põe-se a cantar, lançando floresta adentro o seu convite amoroso. Às vezes uma fêmea aparece logo, outras, demora muito, mas ele fica ali, sonoramente esperando, até que ela surja. E mesmo depois que ela vem ainda tem que se desdobrar exibindo suas penas. Mas se o macho é preguiçoso e não limpa bem o terreno, a fêmea não aparece.

Já certo tipo de pombo começa seu aprendizado em grupo. Aí os machos ficam durante muito tempo competindo e se exibindo. Parecem guerreiros em preparação para as lutas amorosas. Depois de muitas disputas entre eles é que aparecem as pombas que se põem a escolher o amado. Ficam ali passeando diante deles como se estivessem passando em revista a tropa, até que assinalam sua escolha dando uma bicada no pescoço do ungido.

Mas é entre os corvos que acontece uma relação triangular cheia de dramas metafísicos e existencialistas. Porque se há carência de macho, as fêmeas ritualizam entre si o seu incontido amor. E se cortejam e se seduzem até que uma das fêmeas passa a exercer o papel masculino. E tanto é o amor, que a outra choca e bota ovos, que por serem estéreis não resultam. Mas não termina aí o romance. Se surge atrasadamente o macho e começa a namorar uma fêmea já em estado de acasalamento "homossexual", não conseguirá desligar as duas amadas. Terá que compor com elas um *menage à trois*, tendo que cuidar das duas ninhadas. E o mais estranho, como diz Hy Freedman no livro *Les fantasies sexuelles des animaux et les nôtre...*, a fêmea dominante tenderá a dominar também o macho, que aceita seu papel subalterno.

Quem leu poemas simbolistas como aquele do Júlio Salusse descrevendo o cisne que morre de amor quando o parceiro desaparece, ficaria mais emocionado ainda com a vocação monogâmica dos gansos. Primeiro porque eles se elegem mesmo quando imaturos sexualmente. E por mais que os sogros do jovem ganso o espantem de sua casa, ele inventa modos de seduzir e até de presentear a amada. E quando se casam não há quem os possa separar, nem gostam de intrusos. Se sofrem uma separação, ao se reencontrarem fazem tal alarde com bicos e penas, com beijos e danças, que se vai pensar que se separaram durante meses, quando isto foi apenas por poucas horas. O ganso viúvo fica muito mal na hierarquia do grupo. Por isso, alguns se casam novamente. Mas como os gansos vivem numa sociedade complexa, depois de uma grande perda amorosa podem experimentar também uma relação triangular. E aí, pela reprodução sucessiva, sobem na hierarquia social.

O beija-flor faz toda sorte de balé para atrair a fêmea, a borboleta desprende um forte odor e algumas tartarugas preferem amar no fundo das águas. Contudo, o caranguejo é uma espécie de Nijinsky realizando *pas de deux* com sua Márcia Haydée. Quando está a fim de amar, muda de cor e convida a parceira para uma dança que exibe suas presas, dançando em todos os ritmos. Quando os bailarinos estão bem excitados se acariciam com as patinhas. O macho, então, faz sua casa cavando um buraco na areia. A fêmea segue atrás dele pelo túnel do amor. Parecem desaparecer. Mas, de repente, ele desponta carregando uma bola de barro com o qual fecha a porta de seu ninho de amor, como a dizer, "enfim sós".

FANTASIA ERÓTICA

O casal resolveu passar uma noite no motel. Ou melhor: foi resolvido que o casal deveria passar certa noite num motel. Resolvido não por eles, mas pelos filhos que queriam dar uma festa na casa dos pais, mas sem a presença dos coroas. E o afastamento de pai e mãe era pedido por duas razões que pareciam pertinentes: primeiro, que a festa era de jovens e o som seria da pesada; segundo, porque se armava um agito que iria até as oito da manhã.

No atual estágio de metamorfose da vida social e familiar, os filhos são acionistas do casamento. Houve tempo em que detinham 50% das ações, hoje possuem a maioria. A situação, portanto, é muito diferente daquela de antigamente na qual filho não dava palpite na organização da empresa matrimonial. Não só se chamava pai e mãe de senhor e senhora, mas tinha-se que pedir bênção, beijar a mão e chegar em casa às 10 horas da noite.

Mas no atual estágio da globalização o também casamento está sendo terceirizado. Por isso, os filhos desinibidamente disseram aos velhos que gostariam muito de dar uma grande festa na casa e, mais ainda, gostariam que eles passassem o fim de semana fora. E num gesto de sedução irrecusável, disseram à mãe: "Peça ao papai para te levar a um motel."

Ora, não há mulher casada que resista a esse convite feito pelo marido. Algumas não resistem nem ao convite feito por quem não é seu marido. Durante o namoro os casais freqüentam motéis. Depois do casamento isso praticamente acaba e toda mulher ouve com certa inveja quando uma amiga lhe diz que o marido a levou a um motel. É um trunfo. É como se dissesse: "Está vendo, não preciso de amante."

O fato é que o casal, tanto por amor aos filhos quanto movido por fantasias arcaicas, topou a idéia. E os filhos sentiram certo orgulho daquilo. Até revelavam aos amigos o próximo paradeiro dos pais, como a dizer: "Eles são velhos, mas ainda batem uma bola legal."

E, de repente, o fato de o casal ir para o motel acabou virando uma fantasia que concorria com a fantasia da própria festa que os filhos queriam dar. Pois enquanto os filhos contavam como estavam saindo para comprar quantas e quais bebidas, a mulher discutia com que roupa ia ao motel. Enquanto os filhos faziam lista de convidados, o casal começou a comprar revistas tipo *Playboy*, para ver o endereço dos melhores motéis. Era como se estivessem fazendo licitação de obras. O marido até ligou para um amigo e disse: "Olha, Armando, descolei uma gata aí, você não conte pra ninguém, mas me diga qual o melhor motel da cidade." O outro ficou entre intrigado e cúmplice, e mesmo depois que o marido revelou que era para levar a própria mulher, o amigo ainda disse que ia ver, consultar e depois dizia. Não queria revelar seu conhecimento nessa área.

Finalmente chegou o dia da festa, os filhos já não sabiam se prestavam mais atenção na festa que preparavam ou na preparação que os pais faziam para sua noite num jardim das delícias. Os velhos faziam alongamento, tomavam sol, passaram-se cremes, beberam sucos, se preparando como se prepara atletas para a olimpíada.

Quando a galera começou a chegar à casa da festa, a atenção se dirigia mais para o casal que ia, glorioso, sair do que para os que, eufóricos, chegavam.

E lá se foi o casal. Mas, já no carro, se deram conta de que esqueceram de olhar e escolher o endereço do motel. Então tocaram para São Conrado. Entraram naquela região do Joá com dezenas de motéis. E ele: "Mulher, você escolhe." Mas o panorama era pouco estimulante. Parecia promoção de restaurante vendendo comida a quilo. Os preços de promoção denunciavam, tanto quanto a arquitetura, que não correspondia à fantasia do casal (e dos filhos). Chegaram a entrar num. O marido avisou: "Vou olhar primeiro, se não gostar, voltamos." Pois foram, não gostaram e saíram logo. E ainda ficaram por ali uns vinte minutos, entrando e saindo de motel, vendo, não gostando, arriscando serem vistos e difamados.

A noite ia avançando tanto quanto não avançando ia o trânsito na Barra e no Recreio. Ao mesmo tempo, pelo celular telefonam para casa para saberem da festa. A festa queria era saber do motel. "Não, ainda estamos procurando. Os que achamos não correspondem ao que queremos." (E isto foi repassado para todos da festa, que os coroas estavam fazendo um safári, um rali de motéis). Finalmente acharam um motel, que parecia esplêndido. Era. Por isso havia fila aguardando vaga. O casal escolheu uma fantasiosa suíte. E enquanto aguardavam ao lado de outro carro, o marido disse: "Mulher, acho melhor começarmos a fazer alguma sacanagem aqui, senão vão achar que somos marido e mulher." A mulher disse: "Que é isto, me respeite, sou a mãe de seus filhos." Mas acabaram sendo chamados para a esperada suíte.

Era espetacular! Tão espetacular que a mãe não resistiu e telefonou para os filhos descrevendo o paraíso. A festa parou para ouvir a narrativa. E a mãe falava como se fosse Sherazade no apogeu das "Mil e uma noites". A suíte era ampla e tinha uma iluminação especial para cada recanto. Luzes saíam de debaixo da cama, luzes piscavam numa pista de dança. Espelhos para todo lado, música de todo tipo e televisão com inúmeros canais estrangeiros. Junto a um jardim iluminado, um chafariz jorrava água e emoção. Havia a deliciosa banheira quente para hidromassagem. Cama giratória, sauna a vapor, e sauna seca, a escolher. Piscina de água quente corrente e um teto que se movia abrindo-se para uma lua cheia. Isso, além das louças inglesas, do cardápio e do champanha que rolava.

A descrição era a de um verdadeiro filme de Cecil B. de Mille, e Nelson Rodrigues diria que naquele motel havia até cascatas com jacaré.

A garotada ouviu aquela narrativa com uma fantasiosa inveja. E eram três e meia da manhã, hora em que começavam a cair pelas tabelas. A partir daí, a festa começou a definhar-definhar, até que, do fundo de sua adolescência, um jovem saiu-se com esse suspiro.

"Quando eu virar coroa ainda vou ter uma noite como eles."

ARTE E FUGA DA ESPERA

– O que espera uma pessoa que espera?

Olho aquela ali na praia, na esquina, no aeroporto, no bar. Irrequieta. Espera o quê? Seu pescoço volta e meia faz meia-volta como um farol que não ilumina nada. Tão-somente, circularmente espera. Viciosa e ansiosamente espera.

A pessoa que espera não aguarda apenas que o outro chegue. Fantasia que com o outro e a sua forma, com o outro, e a sua voz, chegará o que ela desde sempre espera. Esperar assim é esperar perdidamente.

Quem espera, mas está seguro que o outro vem, na verdade, não espera. Vive plenamente seu tempo fluindo como o rio, aguarda a confluência com outro, certo de que hão de se misturar as águas, peixes, terras e emoções no mesmo orgasmo no mar.

A verdadeira espera é diferente. A pessoa que espera, mais que as outras, está exposta na vitrina de seus gestos. Está voltada para fora, perdeu seu centro, precisa de uma visão que a complemente, está sofridamente frágil, está sem pele com a carne viva ao vento.

O tempo não passa. Ou, pior, transpassa, por dentro, rasgando em aviltamentos.

A pessoa que espera está coagulada no instante.

O que espera é estátua. Pulsante.

Esperar é tarefa pesada demais para os mortais.

Os deuses, sim, têm tempo para desperdiçar. Quem se faz esperar, brinca de Deus. Demoniacamente.

E na espera, há um momento em que acontece algo surpreendente. Algo se erige no vazio. De tanto querer ver e encontrar, de tanto querer ouvir e tocar, começa-se a vislumbrar o outro nos corpos alheios. De repente, começa-se a alucinar. Uma nuca, um certo modo de prender ou soltar os cabelos é presença do ausente. O que espera, desesperadamente, tira de dentro de si mesmo o outro faltante como um ectoplasma. Há qualquer coisa de espelho, de espelho vazio, vazio nessa espera angustiante.

O esperador contumaz sabe seu ritual. Já abatido, exaurido, primeiro segrega algumas desculpas pelo outro: certamente aconteceu algo imprevisto, atrasou-se um pouco, é natural. E vai se dando tempo, inventando razões, criando etapas, prazos novos, falsos limites: "espera só mais um pouco", "não é possível", "ele vai ver quando chegar". Súbito passa a agredir o outro imaginariamente, se eriça todo, começa a depreciá-lo, mas é a si mesmo que agride, é para dentro que sangra. E se o outro chegasse, pobre do que espera! Num átimo se recomporia todo e iria lamber seus pés.

Quem já ficou plantado numa calçada ou se postou noites inteiras diante de uma porta ou janela, ficou uma eternidade roendo as unhas na mesa do bar ou com as asas murchas na pista de um aeroporto, sabe do que falo.

Há pessoas que esperarão a vida inteira. Há pessoas que farão os outros esperarem a vida inteira. Na verdade, existe um secreto pacto entre o que se faz esperar e o que espera, como há entre o rejeitador e o rejeitado, entre o sádico e o masoquista. É um jogo de cão e gato. E quando o rejeitador fareja no ar a sua vítima, começa o ritual. O esperador vocacional, por sua vez, cai direitinho na armadilha. Conhece as etapas do jogo e, mal encontra o outro, vai logo tomando o caminho das esquinas, se postando diante das portas e janelas, rondando os bares e aeroportos. O rejeitado olha mais que qualquer outro para o telefone. Não apenas olha, ouve sua chamada nenhuma.

Quem espera é um fio tenso, que a qualquer hora vai se partir. Entre o seu corpo e o mundo, há um vácuo triste e denso. Há qualquer coisa do condenado com a cabeça exposta no patíbulo, cuja guilhotina, no entanto, não vem.

E se nos aproximarmos do lugar onde por uma eternidade esteve aquele que esperou, veremos não apenas marcas sobre o chão, papéis e tocos de cigarro. Ali estão outros destroços. Pedaços, fragmentos de um corpo, restos de sentimentos deixados por aquele que inutilmente esperou. Ali perdeu-se algo. Ali a vida de alguém coagulou.

RECEITA PARA MAL-DE-AMOR

Meu amigo tem um amigo que está apaixonado. Está amando e pedindo socorro, porque ao mesmo tempo em que se sente luminosamente dono do mundo sabe-se a mais frágil das criaturas. Está meio desorientado. Às vezes até acha que está enfermo. O seu dia-a-dia não é mais o mesmo. Por isso, pede um remédio. Pediu-me, como se pede ao farmacêutico na esquina, que lhe indicasse alguns poemas, única poção capaz de minorar seu mal-de-amor.

Eu teria que fazer um diagnóstico mais acurado. Encontrar-me com o paciente, fazer-lhe umas quantas perguntas, devido à responsabilidade da profissão. Mas não foi possível marcar hora, tomar o pulso, a pressão, ver como anda seu abalado coração. Como o pediatra acordado alta noite por mães aflitas, a receita vai ter que ir por telefone, ou crônica, e aguardar que a dor passe.

Sugeri ao amigo: seria melhor que o amante sofredor se internasse para ler os poemas de amor de Camões, Drummond, Shakespeare, Vinícius, Paul Eluard e Neruda. Mas reconheci que nem sempre os planos de saúde garantem isto. E nem todos têm uma portentosa farmácia em casa. Então, perguntei: "Que idade tem o paciente?" "Já é um homem maduro", respondeu.

Nesse caso é mais grave, pensei. Então leia, de Drummond, o poema "Campo de flores", que começa assim:

"Deus me deu um amor no tempo da madureza/ quando os frutos não são colhidos ou sabem a verme./ Deus ou talvez o Diabo – deu-me este amor maduro/ e a um e a outro agradeço, pois que tenho um amor." E por aí o paciente vai sentir que as antigas manhãs voltaram a sorrir para ele, que ele acha que merece mesmo esse amor?, apesar da angústia que lhe traz. E há de concordar. "Mas porque me tocou um amor crepuscular/ há que amar diferente."

Contudo, o meu amigo preocupado, me adverte: "Olha, o caso dele é meio grave, porque está pensando até em se matar." Bem, nesse caso, digo, o remédio drummoniano tem que ser outro, é o poema. "Não se mate", que ironicamente começa assim: *"Carlos, sossegue, o amor/ é isso que você está vendo:/ hoje beija, amanhã não beija/ depois de amanhã é domingo/ e segunda-feira ninguém sabe/ o que será./ Inútil resistir/ ou mesmo suicidar-se./ Não se mate, oh não se mate,/ reserve-se todo para/ as bodas que ninguém sabe quando virão/ se é que virão."*

A seguir, diz-me que seu amigo depois que se apaixonou ficou meio esquisito. Não está nem aí. Fala-se com ele uma coisa, ele responde outra. Não há visita do Papa nem eleição que lhe interesse. Esclareço que isso é normal em tais casos. Camões diz: "*...fico perguntando aos ventos amorosos, que respiram da parte donde estais, por vós, Senhora;/ às aves que ali voam, se vos viram/ que fazíeis, que estáveis praticando/ onde, como, com quem, que dia e hora?*"

E acrescento que não se desespere mais do que o necessário, porque o amor, segundo outra fórmula da farmacopéia amorosa de Camões, "*é um fogo que arde sem ver,/ é ferida que dói e não se sente/ é um contentamento descontente/ é dor que desatina sem doer,/ é um querer mais que bem querer,/ é um andar solitário por entre gente,/ é um nunca contentar-se de contente,/ é um cuidar que ganha em se perder,/ é querer estar preso por vontade,/ é servir a quem vence, o vencedor,/ é ter com quem mata lealdade./ Mas como causar pode seu favor/ nos corações humanos amizade/ se tão contrário a si é mesmo o amor?"*

No caso de o apaixonado sentir que o destino lhe foi atroz, porque não permitiu que conhecesse sua amada há mais tempo, quando era jovem, então não estará só. Um poeta mineiro – pouco conhecido – Emílio Moura tem apaziguantes pomadas para tal situação: "*Por que me roubaram tanto tempo? Por que não te conheci menina?/ Por que não te conheci quando ias para o colégio?/ Por que não te conheci no momento terrível da revelação da vida?"*

Isso de querer voltar à infância dos sentimentos é legítimo, quando se ama. Bandeira também considera isso em "O impossível carinho": "*Escuta, eu não quero contar-te o meu desejo./ Quero apenas contar-te a minha ternura/ Ah se em troca de tanta felicidade que me dás/ Eu te pudesse repor/ – Eu soubesse repor –/ No coração despedaçado/ As mais puras alegrias de sua infância!"*

Pode dar-se que o amante tenha ímpetos de escrever à sua amada. E tenha vergonha de lhe mandar os versos. Nesse caso, pode mandá-los anonimamente, ou simplesmente copiar aquele soneto de Felix Arvers, que antigamente se sabia, onde o tímido poeta dizia: "*Tenho nalma um segredo e um mistério na vida,/ um amor eterno, que num minuto aflora/ uma infeliz paixão que urge escondida/ e que a própria mulher, que me inspirou ignora." E porque teme que ela descubra quem ele é, resigna-se a imaginar que a amada, "a um tempo honesta e bela/ dirá por certo ao ler meus versos cheios dela./ – Que mulher será esta? E não compreenderá."*

Nesse ponto, o amigo do amigo apaixonado me pergunta: "E você, poeta, nunca amou?" Eu, pundonoroso, respondo que tenho lido muito a respeito. A rigor não amo melhor nem pior do que ninguém. Do meu jeito amo. Ora esquisito, ora fogoso, às vezes aflito ou ensandecido de gozo. Já amei até com nojo. Coisas fabulosas acontecem-me no leito. Nem sempre de mim dependem, confesso. O corpo do outro é que é sempre surpreendente.

Mas, de qualquer jeito, concluo que o amor é sempre um mistério. E o mistério começa do joelho para cima. O mistério começa do umbigo para baixo, e nunca termina. E terminei dizendo: "Diga ao seu amigo que aproveite e sofra de amor o mais que puder, porque como dizia um espanhol renascentista chamado Juan de Encina: 'Más vale trocar placer por dolores que vivir sin amores.'"

O VELHO OLHANDO O MAR

Meu carro pára numa esquina da praia de Copacabana às 9:30 e vejo um velho vestido de branco numa cadeira de rodas olhando o mar a distância. Por ele passam pernas portentosas, reluzentes cabeleiras adolescentes e os bíceps de jovens surfistas. Mas ele permanece sentado olhando o mar a distância.

Uma mulher ao seu lado, parecendo enfermeira ou parente mais jovem, ajeita-lhe o cabelo, conserta suavemente uma dobra de sua roupa. É um velho, pensei, um velho olhando o mar.

O carro continua parado, o sinal fechado e o estupendo calor da vida batia de frente sobre mim. Tudo em torno era uma ávida solicitação dos sentidos. Por isso, paradoxalmente, fixei-me por um instante naquele corpo que parecia ancorado do outro lado das coisas. E sem fazer qualquer esforço comecei a imaginá-lo quando jovem. É um exercício estranho esse de começar a remoçar um corpo na imaginação, injetar movimento e desejo nos seus músculos, acelerando nele, de novo, a avareza de viver cada instante.

A gente tem a leviandade de achar que os velhos nasceram velhos, que estão ali apenas para assistir ao nosso crescimento. Me lembro que, menino, ao ver um velho parente relatar fatos de sua juventude, tinha sempre a sensação de que ele estava inventando uma estória para me convencer de alguma coisa.

No entanto, aquele velho que vejo na esquina da praia de Copacabana deve ter sido jovem algum dia, em alguma outra praia, nos braços de algum amor, bebendo e farreando irresponsavelmente e achando que o estoque da vida era ilimitado.

Teria ele algum desejo ao olhar as coxas das banhistas que passam? Olhando algumas delas teria se posto a lembrar de outros corpos que conheceu? Os que por ele passam poderiam supor que ele fazia maravilhas na cama ou nas pistas de dança?

Me lembra ter lido em algum lugar que o inconsciente não tem idade. Ah, sim, foi no livro de Simone de Beauvoir sobre a velhice. E ali, ela também apresentava uma estatística segundo a qual, por volta dos 60 anos, poucos se declaram velhos; depois dos 80 anos, só 53% se consideram velhos, 36% acham que são de meia-idade e 11% se julgam jovens.

Não sei por que, mas toda vez que vejo um senhor de cabelos brancos andando pela praia penso que ele é um almirante aposentado. Às vezes, concedo e admito que ele pode ser também da Aeronáutica. Por causa disso, durante muito tempo, vendo esses senhores passeando pela areia e calçada, sempre achava que toda a Marinha e Aeronáutica haviam se aposentado entre Leblon e Copacabana.

Mas esses senhores de *short* e boné branco, que passam às vezes em dupla pelo calçadão, são mais atléticos que aquele que denominei de velho e, sentado na cadeira, olha o mar.

Ele está ali, eu no meu carro, e me dou conta de que um número crescente de amigos e conhecidos tem me pronunciado a palavra "aposentadoria" ultimamente. Isso é uma síndrome grave. Em breve estarei cercado de aposentados e forçosamente me aposentarão. Então, imagino, vou passear de *short* branco e boné pelo calçadão da praia, fingindo ser um almirante aposentado, aproveitando o sol mais ameno das 9h30 até cair sentado numa cadeira e ficar olhando o mar.

Me lembra ter lido naquele estudo de Simone de Beauvoir sobre a velhice algo neste sentido: "Morrer, prematuramente, ou envelhecer: não há outra alternativa." E, entretanto, como escreveu Goethe: "A idade apodera-se de nós de surpresa." Cada um é, para si mesmo, o sujeito único, e muitas vezes nos espantamos quando o destino comum se torna o nosso: doença, ruptura, luto. Lembro-me do meu assombro quando, seriamente doente pela primeira vez na vida, eu me dizia: "Essa mulher que está sendo transportada numa padiola sou eu." Entretanto, os acidentes contingentes integram-se facilmente à nossa história, porque nos atingem em nossa singularidade: velhice é um destino, e quando ela se apodera da nossa própria vida, deixa-nos estupefatos. "O que se passou, então? A vida, e eu estou velho", escreve Aragon.

Meu carro, no entanto, continua parado no sinal da praia de Copacabana. O carro apenas, porque a imaginação, entre o sinal vermelho e o verde, viajou intensamente. Vou ter de deixar ali o velho e sua acompanhante olhando o mar por mim. Vou viver a vida por ele, me iludir de que no escritório transformo o mundo com telefonemas, projetos e papéis. Um dia talvez esteja naquela cadeira olhando o mar a distância, a vida distante.

Mas que ao olhar para dentro eu tenha muito que rever e contemplar. Nesse caso não me importarei que o moço que estiver no seu carro parado no sinal imagine coisas sobre mim. Estarei olhando o mar, o mar interior, e terei navegantes alegrias que nenhum passante compreenderá.

ESPERANDO O FURACÃO

Estava há uma semana atrás na Carolina do Norte, exatamente no estado onde o furacão "Floyd" ia bater furiosamente. Na véspera de minha ida, recebi da professora Mônica Rector, que me convidara, um paradoxal e-mail: "o tempo está lindo e há um furacão a caminho".

Quando cheguei o tempo estava realmente lindo. Lindíssimo. A luz do dia perpassava por entre as folhagens dos bosques de carvalhos e pinheiros. Que paz, que harmonia entre as criaturas, a natureza e os objetos. Minha amiga levou-me a passear no bosque ao redor de sua bela casa de madeira, por onde passa um idílico riacho. Mostrou-me pelo chão, troncos abatidos de trinta e tantos carvalhos, que tombaram no furacão de 1996.

Um furacão está se aproximando e o tempo é lindo.

Sigo com meus afazeres nas universidades de Chapel Hill e Duke, falando sobre um tema externamente tranqüilo, mas internamente tempestuoso – "Um poeta nos trópicos". A poesia e os furacões estéticos e sociais.

A televisão, no entanto, mostrava o apocalipse se aproximando da Flórida. Vinha a mais de 200 quilômetros por hora, avassalador, numa infernal espiral de água e vento.

Eu olhava pela janela e o sol brilhava. Pensava: "Esse furacão vai bater na Flórida e para chegar aqui teria que passar pela Geórgia e Carolina do Sul. Mas a televisão prometia a tragédia. A população da costa da Flórida recebe ordens de se retirar. Inicia-se o êxodo com milhares de carros pelas estradas. Os pedágios foram liberados. Caem árvores, inundações ocorrem, cais e píeres tombam n'água.

E a TV anuncia que o furacão "Floyd" agora estava vindo para o meu endereço. Com seu olho insano, havia me avistado no meio dos bosques de carvalho e naquela bucólica casa de madeira. Atingira a categoria cinco, equivalente a catástrofe, e atrás dele vinha já outro furacão, "Gerd", igualmente furioso.

Lá vem meu furacão subindo a costa e aprendo que a pior tragédia ocorre onde ele pousa desencadeando dezenas de tornados. A televisão me informa que ele escolheu para aterrissar exatamente na minha região.

Em Chapel Hill a população esgota estoques de água mineral, pilhas, baterias e compensados dos supermercados. Compensados são para serem pregados sobre as portas e janelas envidraçadas. Pergunto ao casal que me hospeda, o que fazer. "Nada – diz Tom – tomar certas precauções e esperar, porque isto é uma loteria, o furacão pode descer aqui, adiante ou se desviar".

Haveria uma recepção para mim naquela noite. Exatamente na noite, em que às 21 horas o furacão deveria descer. Sugeri cancelarem o evento, porque imaginei eu e todos os convidados sendo arrebatados como anjos numa espiral cósmica, como só acontecia aos profetas bíblicos.

Penso em ir para um abrigo, pois minha hospedeira é voluntária da Cruz Vermelha, tem uniforme amarelo, botas, crachá e trabalhará num desses abrigos a partir de amanhã cedo. Além do mais, quero ver como se organizam os americanos diante da tragédia anunciada. Com efeito, estavam organizadíssimos. A vizinhança já havia se comunicado por e-mail, um dizendo "sou médico", outra, "sou enfermeira", e se colocando à disposição para emergências. A máquina da solidariedade social começava a funcionar.

Suspensa a recepção para mim, continuavam os preparativos para a recepção ao furacão. E chegam notícias que ele estava atrasado, ia chegar de madrugada, depois, que ia chegar de manhã.

Olho pela vidraça a noite lá fora. Chove e há um vento inquieto. Confirmam-se estragos em cidades a uns 300 quilômetros.

Aguardar assim o furacão é como estar na arena enfrentando um touro, mas sem capa e espada.

Aguardar assim o furacão é como em certos filmes estar num carro que, de repente, enguiça sobre os trilhos da linha férrea.

Aguardar assim o furacão é como estar numa cidade sitiada, sendo atacado pelos mouros ou cruzados.

Aguardar assim o furacão é como aquele personagem do conto de Hemingway, que cansado de fugir dos perseguidores deita-se e aguarda o fim.

É assim que se sente o sapo quando o olho da cobra o surpreende e ele, siderado, a vê e espera, impotente, o bote fatal.

Estranhamente, às dez da noite, como quem está cansado de esperar Godot, desconfiei que a chuva e o vento estivessem me enviando outra mensagem. Não sei exatamente o que era, mas pensei, se ele vier – o touro negro, o minotauro do labirinto, a morte e suas foices – me encontrará tranqüilo.

Resolvi ir dormir, embora a cinco metros de meu quarto vários carvalhos balançassem ao vento me acenando qualquer coisa. Olhei objetos e roupas em torno como a me despedir ou para poder localizá-los no momento de fuga ou resistência.

Quando despertei às seis da manhã chovia ainda, mas algo me dizia que a elipse da morte havia se afastado de minha cabeceira. Dormi até as 8h, com o pensamento mágico de quem se diz: quando vier, se vier, me defenderei, olharei no olho do olho da fera.

De novo despertei. E conferi na televisão que a fatalidade havia seguido noutra direção. Abatera outras casas, afundara outros barcos, destroçara outras famílias e propriedades.

Com efeito, eu havia sido poupado.

Como se tudo aquilo não houvesse sido mais que um pesadelo, no final da tarde desse dia que se prometera apocalíptico, o sol brilhou. Brilhou como se sempre estivera ali, como se nenhuma sombra da morte houvesse jamais ameaçado as criaturas.

Dia seguinte saí passeando pelas ensolaradas alamedas de carvalhos e pinheiros, olhando a vida no olho, como no olho, em meio aos furacões, vou aprendendo a olhar a morte.

DEUS PASSOU POR ALI

– *P*or que há certas frases que se cravam em nós como espinho ou flor?

Vou lendo um artigo de Umberto Eco sobre o mundo virtual quando, de repente, uma frase me sacode.

Há certas frases que fazem com a gente o que certos aviões fazem com nosso corpo, quando o vôo parece tranqüilo, súbito, um solavanco, como se tivéssemos caído no vácuo.

No vácuo de nós mesmos.

A tal frase nem é do Eco, ele apenas a ecoou. É de Victor Hugo. E eu que já li *Os miseráveis* em livro e em quadrinhos, jamais me lembraria dela. É que certas frases só são lidas efetivamente quando, por misteriosas razões, carecemos delas. Por isso, é que se diz que a gente deve reler certos autores de dez em dez anos, pois a cada volta do eterno retorno, certas frases vêm à tona, não se sabe se do texto mesmo ou do palimpsesto que somos.

Em *Os miseráveis* Victor Hugo descreve e comenta a derrota de Napoleão em Waterloo. Num certo ponto diz: "Semelhante derrota, que assombrou a História inteiramente, carece de causa? Não... Alguém, a quem ninguém pode opor-se, cuidou para que isso acontecesse. Deus passou por ali".

Eis a frase que me perturbou: "Deus passou por ali".

– Teria sido a sensação visual de Deus perpassando o campo de batalha com cadáveres destroçados e armas abandonadas?

– Teria sido a afirmativa de que o Destino justiçou finalmente o imperador que flagelava toda a Europa, como um novo Átila?

– Ou seria, tecnicamente, tão-somente a secura da frase, curta, imprevista, afirmativa, intrigante, definitiva?: "Deus passou por ali".

Parece título de livro. De *best seller*. De um grande romance histórico. Um título à espera do livro. Um livro que temos dentro de nós. Ou que poderemos escrever para dentro. Silenciosos.

Continuando a examinar o que teria deslanchado um terremoto em meus sentimentos, fui revirando no meu espírito os vários ecos da frase. Se Deus é tudo e está em tudo, e se, além do mais, ele é onipresente, como sentenciar que houve um certo momento em que "Deus passou por ali"?

Aquela afirmativa secciona o tempo e a eternidade.

E começo a pensar que se Deus passou por ali num determinado momento, é sinal que em outros momentos ele não passou por ali.

Creio que foi dessas elipses e dobras do pensamento que me veio a perplexidade, porque instintivamente saí da batalha de Waterloo e comecei a imaginar, a sondar onde Deus tem passado, ou não, ultimamente.

Enquanto pensava nessa crônica por elaborar, deitado numa rede sob uma trepadeira de jasmim, vi uma pequena aranha. Pequeníssima. De uns cinco milímetros. Ela precipitava-se no espaço suspensa apenas pelo fio que ela própria tecia. Balançava no ar presa apenas a esse fiozinho quase invisível, como o cronista ao invisível fio que conduz suas palavras sobre o abismo da escrita.

De repente, ela descobre o tecido da rede e sobe caminhando na direção das folhagens.

Olhei sua mínima trajetória.

Deus passou por ali.

Mas os jornais que tinha lido pela manhã descreviam tiroteios e mortes entre gangues de narcotraficantes nas favelas.

Deus não passou por ali.

Diz a tradição que é mais fácil encontrar Deus nas montanhas. Vejam o que Moisés trouxe de lá. Mas há quem o tenha encontrado no fundo do mar. E, há dias, aos 98, morreu Théodore Monod, um naturalista que vivia vasculhando o deserto, porque estava certo de que Deus passou por ali.

Afirmava: "A voz de Deus pode ser mais nítida no Saara ou sob o vulcão como o Emi Koussi, no Tibet".

Mas de que diabo de Deus estou falando?, pode indagar um impaciente leitor. A tradição disseminou uma certa idéia de Deus. Por exemplo, um menino colombiano de 5 anos, lá em Medellín, onde dizem que Deus não passa há muito tempo, disse: "Deus é o amor com cabelo comprido e poderes". Outra menina colombiana da mesma idade e vivendo a mesma tragédia que outras meninas brasileiras, completou: "Deus é uma pessoa em que cravam cravos. É jovem".

O sábio Lineu, depois de pesquisar a origem de milhares de espécies, teve a sensação de ter percebido o rastro de Deus. Mas confessou que era apenas um vulto que ia se distanciando, de costas para ele.

Estou convencido de que Deus passava sempre por ali, quando Mozart compunha algo. E ontem ouvi, de Haendel, um concerto para harpa e orquestra e senti, e vi, claramente, que Deus não apenas passou, mas instalou-se por ali naquelas cordas enquanto a música soava.

Às vezes, basta olhar o corpo amado para perceber que Deus não passou, mas instalou-se ali.

Se insistirem em perguntar que Deus é esse, terei que responder: "Olhem aqueles cavalos pintados por Paolo Ucello e as madonas de Vinci."

Olhem também as tormentosamente telas de Van Gogh. Deus, como em Waterloo, às vezes surge em meio, ou depois do horror.

Deus é quando o demônio restringe-se ao seu lugar.

– Devo ser mais explícito?

Onde houve Inquisição, Deus não passou por ali.

Onde houve escravidão, Deus não passou por ali.

Onde houve tortura, Deus não passou por ali.

Onde houve roubo, extorsão, calúnia, usura, Deus não passou por ali.

Há muito Deus não passa pela Faixa de Gaza.

Há muito afastou-se de Jerusalém.

Neste Natal, seguramente, não pousará em Nazaré e Belém.

COMO DEUS FALA AOS HOMENS

Houve um tempo em que Deus falou em hebraico.

Houve um tempo em que Deus falou em grego.

Depois começou a falar em latim.

E a partir daí falou em muitas línguas, aliás, até mesmo em dialetos.

Atualmente há quem garanta que ele fala em inglês.

Em Português, Deus começou a falar em 1719, quando João Ferreira de Almeida traduziu o Novo Testamento.

Agora acabo de receber uma nova versão das palavras de Deus: *Bíblia Sagrada* – Nova tradução na linguagem de hoje, elaborada pela Sociedade Bíblica do Brasil. Foram 12 anos dc trabalho de uma equipe de especialistas coordenados por Rudi Zimmer, pastor luterano, especialista em hebraico e aramaico, professor de grego, latim, hebraico, teologia e história das religiões.

A NTLH, ou seja, a "Nova Tradução na Linguagem de Hoje", segundo o chefe da equipe, procurou simplificar o vocabulário e atualizar certas expressões. Assim, enquanto a clássica tradução de Almeida tinha 8,38 mil palavras diferentes, essa NTLH tem 4,39 mil, aproximando o texto do vocabulário de um brasileiro de cultura média. Desse modo, foram afastadas do texto expressões como "cingindo os vossos lombos", "recalcitrar contra os aguilhões" etc.

Eu pessoalmente senti aí falta da palavra "estultícia". Meu pai citando *Prov.* 22, 15 vivia nos advertindo que só a vara de marmelo tira a estultícia do menino. No entanto, na versão nova em vez de "estultícia" aparece "tolices". Ora, cometer uma "estultícia" era mais relevante, parecia que estava realmente infringindo uma regra e merecendo punição, pois "tolice" qualquer criança faz.

Quando menino e jovem fui um contumaz leitor da *Bíblia*. Cada um dos cinco irmãos tinha sua *Bíblia*. A mãe tinha sua *Bíblia*. O pai abria sua imensa *Bíblia* e lia imensos salmos na hora das refeições. Ele tinha também uma *Bíblia* em esperanto e achava que essa era a língua capaz de resolver a questão da babel linguística e moral da humanidade.

Na modesta igreja metodista de São Mateus, lá em Juiz de Fora, fazia-se "concurso bíblico". Crentes, de todas as idades, iam para o palco e, como nesses programas de desafio cultural na televisão, alguém lançava no ar o desafio. Dizia o nome de um livro da *Bíblia*, de um capítulo e de um versículo e tínhamos que recitar seu conteúdo. Por exemplo, se alguém dissesse: "Provérbios, capítulo 18, versículo 16, a gente imediatamente retrucava:

"O presente que o homem faz alarga-lhe o caminho e leva-o perante os grandes".

Mas de acordo com a nova versão, em que se lia aquela frase, está agora uma outra parecida:

"Você vai falar com alguém importante? Leve um presente, e será fácil".

Como se vê, a versão atual ganhou em clareza. Fazer *lobby* é coisa antiga. Não podia ser mais direto, só faltou dizer de quanto deve ser a comissão.

No entanto, se nesse certame bíblico, alguém me desafiasse dizendo: "Provérbios, 23, 1", a atual versão me faria dizer:

"Quando você for jantar com alguém importante, não se esqueça de quem ele é".

Mas prefiro a versão antiga, sobretudo mais precisa no estado em que vivemos:

"Quando te assentares a comer com um governador atenta bem para aquele que está diante de ti."

Curiosamente, neste fim de semana li notícia de que a letra do Hino Nacional Brasileiro também já foi mexida atendendo ao desejo de simplificação. À época da ditadura de Vargas chamaram Manuel Bandeira para atualizar a letra original. Reconheça-se que não dava para mexer muito, porque esse hino sem os enigmáticos "lábaro que ostentas estrelado" e o "verde-louro dessa flâmula", já não seria o mesmo.

Na atual versão da *Bíblia* os tradutores alteraram até a forma como o nome de Deus aparece no Antigo Testamento. E onde havia "Deus Eterno" ou "Eterno", há agora "Senhor Deus, "Deus, o Senhor", o que modificou 7 mil passagens.

Na verdade, estava acostumado a uma série de expressões poéticas na *Bíblia* de minha infância. O Salmo 42, então, começava assim:

"Como suspira a corça pelas correntes das águas, assim, por ti, ó Deus, suspira a minha alma".

Mas a versão atual diz:

"Assim como o corço deseja as águas do ribeirão, assim também quero estar na tua presença, ó Deus!".

Confesso que me sentia melhor com uma alma feminina, como uma "corça". Além do mais, "ribeirão" me remete para um córrego meio sujo, enquanto "correntes das águas", me fazia sentir mais cristalino.

Igualmente me compungia mais quando no livro de II Samuel (cap. 18, v. 33) o rei Davi ao saber da morte de seu filho Absalão, desesperado e vagando em seu palácio, dizia:

"Meu filho Absalão, meu filho, meu filho Absalão! Quem me dera que eu morrera por ti, Absalão, meu filho, meu filho".

No entanto, a nova versão é mais seca e objetiva, sem aquele "quem me dera, eu morrera" convertido em "Eu preferia ter morrido".

Entendam-me, não estou criticando, que para isto não tenho competência, mas tão-somente lembrando o eco que a linguagem antiga largou no meu espírito, possivelmente insuflando-me no caminho da poesia.

Traduzir é tarefa para santos ou penitentes. Aíla Gomes de Oliveira, por exemplo, acaba de traduzir *Rei Lear* de um dos santos da literatura – Shakespeare. E o fez com competência eclesiástica. Já outros, e há alguns casos crônicos em nossa literatura, apresentam-se como "transcriadores". Ou seja, não traduzem. Como brilhantes parasitas, fazem sua obra dentro da obra alheia.

Correndo todos os riscos de ser malcompreendido, tenho que revelar que Deus falava mais bonito na minha infância. Expressava-se por enigmas, parábolas e metáforas, que não entendendo eu, achava-as belas e sedutoras. Aliás, as religiões se fundaram a partir do mistério da linguagem. As religiões e as artes. A poesia está nas dobras, nas elipses.

Mas como os homens estão ficando cada vez mais estúpidos, e com o ouvido cada vez mais poluído, Deus tem sido obrigado a ser cada vez mais direto.

Mas quanto a mim, Senhor, pode continuar a falar por enigmas.

Que só um enigma a outro enigma pode esclarecer.

AQUELE INESQUECÍVEL GENERAL

*P*or duas vezes meu caminho cruzou com o do general Figueiredo, nosso ex-presidente recém-falecido. Dizer que nossos caminhos cruzaram é pretensão, pois o primeiro fato foi mais um abalroamento verbal. E isso ocorreu em 1984, no distante século passado. (E me perdoem os leitores que insistem que o século XXI só vai começar em 2001, para mim o século XX já acabou, cansei-me dele e quem for brasileiro que me siga).

Pois corria o ano da graça e da desgraça de 1984. O leitor para se lembrar das coisas de política daquela época terá que ter hoje cerca de 40 anos. Portanto, se tenho algum leitor com menos de 40, o que vou narrar pode ser uma revelação, enquanto para os demais será apenas uma tediosa crônica proustiana.

Naquela época o país estava numa situação assaz insólita. O presidente-general, que apesar de todos os tropeços havia bancado a volta do país à democracia, parecia desinteressado do poder. Como dizem ainda hoje os seus amigos, depois de ter sido operado do coração, lá em Cleveland, ele nunca mais foi o mesmo. O que os jornais denunciavam é que Figueiredo pouco aparecia no Palácio. Comentavam que ele fazia seus exercícios de equitação, dava um expediente de duas horas e sumia. Ficava assim o governo na mão do Delfim Netto, que como ministro da Fazenda tentava nos enrolar com números e ironia.

Os jornais martelando e eu, como todo mundo, sentindo-me envergonhadíssimo com a apatia de Figueiredo. Vai daí que resolvi externar o que sentia e escrevi para o *Jornal do Brasil* um artigo intitulado: "A preguiça do Presidente". A epígrafe era aquela frase de Macunaíma "ai que preguiça!". A mim me pareceu que estava dizendo o óbvio. Mas a deduzir da repercussão do texto talvez eu tenha rompido o código de meias palavras que os analistas políticos usavam.

Mal saiu o artigo começaram os sobressaltos. De Brasília me informam que o general-presidente ficou bravíssimo. Tancredo, querendo ser o próximo presidente, faz uma típica declaração, lá em Minas, botando panos quentes. A *Folha de S. Paulo* dedica dois editoriais a respeito do meu texto. A *IstoÉ* comenta a crise da semana situando ali o referido artigo. *A Veja* me procura dizendo que por causa daquele artigo as bolsas de valores estavam caindo, que havia notícias de que o presidente queria renunciar, que eu era o personagem da semana e por isto queriam fazer o meu perfil.

Para aumentar minhas apreensões, na rua, volta e meia alguém me dizia: "Ainda não foi preso?" No *Jornal do Brasil* houve um certo corre-corre. Nascimento Brito e Walter Fontoura seguraram a barra e no dia seguinte apareceu um artigo do porta-voz da Presidência da República – Carlos Átila – intitulado "O trabalho do Presidente".

Vejam só. Estava apenas externando o que eu e muitos pensávamos e de repente me encontro à beira de polemizar com a Presidência da República. Não sendo no plano político um Carlos Lacerda e no plano literário um José Guilherme Merquior, em vez de polemizar prosaicamente, passei ao jornal um longo poema intitulado "Sobre a atual vergonha de ser brasileiro", que foi estampado em página inteira e que infelizmente continua mais atual do que nunca.

Portanto, acho que tenho isenção suficiente para dizer que quando Figueiredo morreu, de maneira geral, a imprensa foi injusta com ele. Os textos ficaram no anedótico, na ironia, no episódico. Análise mesmo, muito pouca. Por isso digo que li com certa simpatia o texto que Carlos Átila publicou retraçando o perfil de Figueiredo. Acho que vai levar ainda tempo, muitos documentos ainda vão ser jogados no ventilador até se ter uma imagem mais ampla dessa época.

Vejam só. Na época em que disseram que Figueiredo quase deixou o governo por minha causa, senti-me culpado. Culpado, porque se tivesse carregado um pouco mais nas tintas da ironia teria provocado sua substituição prematura. Portanto, se tivemos que passar por Tancredo, Sarney, Collor e agora pelo anfótero FH, reconheço piamente, a culpa é minha. Se Figueiredo, por minha causa, tivesse saído antes do tempo, não teríamos conhecido duas décadas economicamente perdidas.

Eu não consegui apear Figueiredo do governo, mas em compensação, na segunda vez que meus caminhos se cruzaram com o desse cavaleiro eu ajudei a melhorar sua saúde.

Lembram-se do Doutor Fritz? Pois deixem de lado os escândalos que envolveram o seu "cavalo", Rubem Farias. Não sou espírita, não sou esotérico, mas com esses olhos que a terra há de comer, vi e filmei o Doutor Fritz operar coluna, olho, perna, braço, cabeça, enfim, virar seu paciente pelo avesso, tudo sem anestesia, e o paciente sair andando.

Escrevi uma crônica sobre isso e um general amigo de Figueiredo a leu e pediu-me contatos para que o ex-presidente fosse operado da sua crônica dor na coluna. O general realmente melhorou. E daí vem o encontro que tive com ele.

A cena é de 1977 e está filmada na minha memória. Num galpão, lá na Penha, transcorria uma festa de fim de ano em que se distribuíam brinquedos e comida para os pobres como parte de um programa assistencial dos que trabalhavam junto ao enigmático e, às vezes, engraçado Doutor Fritz. Havia ali também um show para crianças. E lá estava o antigamente tão temido general, sentadinho num banco, vestido simplesmente como um aposentado suburbano. Comia pedaço de bolo e bebia guaraná como os demais mortais. As pessoas em torno não podiam supor que aquele senhor fora um dos articuladores do golpe de 64, o todo-poderoso do SNI, o presidente que ameaçava prender e arrebentar e um dia quis esmurrar uma multidão que xingava sua mãe em Florianópolis.

Conversamos um pouco. Havia uma zoeira danada pois os momentos históricos são sempre sujeitos a ruídos na informação. Falamos sobre sua saúde, das melhoras que tinha tido etc. Uma frase aqui outra ali. Mas não gravei nenhum depoimento como esses que estão vindo à luz agora.

Fiquei ali pensando nas duas faces do homem ou naquilo que Ortega y Gasset dizia, no tempo em que alguém sabia o que Ortega y Gasset dizia: "o homem é ele e suas circunstâncias".

DA CAPOEIRA AO MORTAL KOMBAT

Eu havia pedido ao caseiro que ficasse de olho num bichinho chamado "serrador", que estava cortando os galhos das mimosas. Daí a uns dias mostrou-me uma lata com vários deles dentro, e comentou: "Olha como eles se matam uns aos outros".

De fato. Como pequenos escaravelhos eles se atracavam e cortavam as pernas, as antenas, as cabeças uns dos outros. Era um combate mortal. Não havendo galho de mimosa a cortar, cortavam pernas, antenas e o ventre do adversário.

Minha mulher estava lendo os jornais e entre os muitos horrores estampados, um deles obrigou-a a interromper a leitura que eu fazia de um livro. Perturbada narrou-me o que era o "mortal kombat" nos bailes *funks* do Rio.

Eu antes havia visto o título da notícia, e achando que já tinha tomado a dose diária de fel nas funestas informações, não quis ler a reportagem. É um compreensível sentimento de autodefesa.

Em síntese: mais de cem jovens já morreram este ano nos "mortal kombat" realizados nos bailes *funks*. Vinte, só no Country Club de Jacarepaguá. São 250 mil jovens dançando e se agredindo em cada fim de semana na cidade.

Nos salões, dividem-se em "galera A" e "galera B", separadas por um corredor de dois metros chamado de "corredor da morte", e quando os DJs, que comandam as músicas, ordenam que 2.500 jovens de cada lado se preparem e se atraquem, começa a pancadaria, ao som de refrões assim: "Seqüestra daqui/ seqüestra de lá/ matem os alemães/ que o bicho vai pegar".

Os seguranças estão lá. Estão para garantir que ninguém atrapalhe o espetáculo. A polícia militar também está lá. Vai, pega o dinheiro e se manda. Os enfermeiros também estão lá. Há enfermarias de cada lado do palco. E quando alguém morre há um serviço de táxi para levar o corpo para um hospital qualquer, como se a morte tivesse sido um acidente inexplicável.

Quando minha mulher me leu essas coisas eu estava no século XIX. Estava lá instalado, lendo Gilberto Freyre em seu *Sobrados e mucambos*. Aquela espantosa reportagem, contudo, não conseguiu me trazer para o século XX. Apenas me obrigou a constatar que o século XIX ainda não terminou por aqui. É que enquanto os jornais relatavam o combate mortal dos bailes funks, o antropólogo pernambucano, com seu aliciante estilo e utilizando como elementos de estudo os jornais antigos do país, me descrevia a atuação dos capoeiras que, no Rio, dividiam a cidade em campos de batalha, ritualizando a violência, até mesmo durante as procissões. Diz ele: "Às vezes havia negro navalhado; moleque com os intestinos de fora que uma rede branca vinha buscar (as redes vermelhas eram para os feridos; as brancas, para os mortos). Porque as procissões com banda de música tornaram-se o ponto de encontro dos *capoeiras*, curioso tipo de negro ou mulato de cidade, correspondendo ao dos *capangas* ou *cabras* dos engenhos. O forte do capoeira era a navalha ou a faca de ponta; sua gabolice, a do pixaim penteado em trunfa, a da sandália na ponta do pé quase de dançarino e a do modo desengonçado de andar. A capoeiragem incluía, além disso, uma série de passos difíceis e de agilidades quase incríveis de corpo, nas quais o malandro de rua se iniciava como que maçonicamente".

Estamos ou não estamos no século XIX?

O ritual da violência entre nós é semelhantemente antigo. Por isso, ao mesmo tempo em que sugiro aos professores de história e literatura que façam um paralelo disso com as cenas de capoeiragem em *O cortiço*, de Aluísio de Azevedo, arrolo agora o que diz Câmara Cascudo: "Nos primeiros anos do regime republicano no Brasil, o Chefe de Polícia do Rio de Janeiro, Sampaio Ferraz, enfrentou a capoeiragem numa guerra de morte. Os capoeiras dividiam-se em dois grandes grupos, guaiamus e nagôs, protegidos e utilizados por muitos políticos como elementos de intimidação dos inimigos. A luta durou o ano de 1890, e Sampaio Ferraz, surdo a ameaças e pedidos, prendeu capoeiras ricos e pobres, brancos e pretos, filhos de quitandeiras e de almirantes, acabando com a instituição temível".

Onde está o Sampaio Ferraz de hoje?

Será que um Sampaio Ferraz pode acabar de vez com a ritualística pulsão de morte, que faz com que os homens se organizem em "gangues", "galeras" e exércitos, e saiam se aniquilando sádica e masoquisticamente?

Seria esse estúpido espetáculo uma reedição do circo romano, onde ora jogavam os cristãos às lanças, redes e machados dos gladiadores, ora os lançavam para serem despedaçados pelas feras, ou quando gente viva não havia punham tigres e elefantes a se sangrarem ante o aplauso histérico da população?

Leio que em Brasília, para exercitar ou esvair a violência, organizaram uma série de esportes noturnos, para que os jovens gastem sua energia ludicamente. Há quem pense em aplicar isso ao Rio e outras cidades.

É uma boa solução. Sempre houve uma relação estrutural entre a guerra e o esporte, a festa e a guerra. Outra solução seria, como o fez o meu caseiro, colocar todos os insetos violentos dentro de uma lata e deixar que eles se entredevorem de vez. Temo, no entanto, que a lata teria que ser muito grande e talvez não sobrasse ninguém para contar a história.

ENTRE GIOTTO E O AR-15

A noticiada amizade de Marcinho VP – foragido chefe do tráfico no Morro de Dona Marta – e João Moreira Salles – milionário e cineasta – é o mais importante fato político e social do momento. Ele transcende o documentário cinematográfico que disso surgiu, ele é mais do que o livro que o bandido estaria escrevendo financiado pelo intelectual. É mais importante que todos os blablablás do presidente. Mais importante que essa vergonhosa discussão, se dão sete ou dez reais a mais no salário mínimo. Não adianta quererem arrastar esse episódio para as páginas policiais. Seu lugar é não só nas primeiras páginas, nos editoriais e segundos cadernos, mas deveria ocupar livros e seminários de antropologia, sociologia e de estética.

Diante da extraordinária riqueza simbólica desse fato, começaria por dizer que Marcinho VP e João Moreira Salles deixaram de ser pessoas e viraram sintomas. Cada um ao seu modo é um sintoma da enfermidade e da saúde do corpo social. Quando alguém adoece começa a manifestar sintomas, por exemplo, manchas no corpo. Em muitos casos não adianta passar pomada, a causa é interna. No caso desses dois sintomas – Marcinho e João –, de nada vale esfregar pomada sobre a mancha. Não adianta apagar (matar ou prender) Marcinho VP nem processar João. Essa é a idéia convencional, típica de quem quer vender pomada e não cuidar do corpo social.

Abrindo o livro *Doença como metáfora*, Susan Sontag diz: "Todas as pessoas vivas têm dupla cidadania, uma no reino da saúde e outra no reino da doença". Diz também: "a doença é o lado sombrio da vida, uma espécie de cidadania mais onerosa".

Há uma conotação explosiva entre isso e o fato de Marcinho VP, politizando seu discurso, aludir ao movimento zapatista, dizendo que quer voltar ao Brasil para criar o Movimento Social Revolucionário pela Favelania. É possível que tenha percebido que o martirológico histórico é a única saída para quem antes era só um "rebelde sem causa". A palavra Favelania é um achado. Além de ironizar a propalada "cidadania" revela a vilania do sistema.

Claro que a figura de Marcinho é complexa. Não se deve tratá-lo com pieguismo. As pessoas não vão para o crime só porque são pobres, se assim fosse não haveria criminoso rico. E há uma coisa auto-incriminadora na sua fala: "Eu podia ser o melhor porteiro, o melhor trocador, o melhor flanelinha... Então, decidi ser o melhor bandido".

Talvez ele não seja o melhor bandido. A história do banditismo aqui é farta de modelos. Já propus, há vinte anos, que se escreva a História Geral dos Bandidos Brasileiros, porque um país se conhece também pelos bandidos que tem. Às vezes se conhece melhor através desses bandidos que através dos "grandes homens", mesmo porque alguns desses acabam se revelando grandes bandidos.

Insistindo na metáfora médica eu diria que, num organismo degradado, João Salles tentou não só injetar, mas ser o próprio antivírus. Não quis limitar-se a fazer um documentário cinematográfico. Tentou redirecionar a vida do traficante e quis enriquecer a vida dos meninos do morro. Diz ele ao explicar seu envolvimento com a comunidade do Dona Marta: "Aí resolvi dar um curso sobre o momento mais importante da história da modernidade, que é o momento no qual se descobriu o valor do ser humano, a pré-renascença, especificamente Giotto. Foi um curso bárbaro".

Anotem: João, o intelectual rico, não subestima os favelados com um sanduíche cultural qualquer, mas tenta mostrar aos pobres o momento em que a cultura ocidental lá pelos séculos XIII e XIV "descobriu o valor do ser humano". Passados uns seis séculos a questão aqui é esta: quando será que vamos descobrir o valor do "ser humano"?

Alguém pode dizer: esse Marcinho quer agora virar "ser humano" depois de ter matado muita gente e desgraçado muitas vidas. Até que ponto é possível recuperar criminosos e restaurar o tecido social? Todos os dias vemos casos de êxito e fracasso nessa área. E quando João Salles expõe nossa ferida social, isto ocorre num momento excepcional, em que a Segurança Pública do Estado nas mãos de Luis Eduardo Soares, com formação social e antropológica, está tentando criar maneiras inovadoras de lidar com a violência. Um raro momento em que alguém tenta acabar com o esquizofrênico mito da cidade partida, revelando que não há mais separação entre pobres e ricos, Zona Sul e Zona Norte, o bem e o mal, enfim, que estamos todos no mesmo saco. Ou resolvemos juntos a questão ou vamos todos para o brejo, onde, aliás, já estamos.

Espantosamente o ministro da Justiça, diante do que qualifica de "propostas ousadas" da área de Segurança do Rio, disse que acha difícil o governo oferecer proteção e vigilância para a grande quantidade de bandidos que vão se apresentar dizendo-se arrependidos. Declaração patética essa, pois tenta esfriar "propostas ousadas" e não propõe alternativas. Além do mais nos deixa desamparados, porque se por um lado não nos protege dos marginais, por outro também não tem estratégias "ousadas" para recuperá-los. Claro, construir cadeias é mais fácil. E inútil.

Diz Marcinho VP: "Por que cultivamos tanto a ignorância é uma pergunta que cada vez mais eu pergunto a mim mesmo? Por quê?" E tudo isso me fez lembrar de algo que pode ser considerado um outro episódio da mesma luta. Quando dirigi a Biblioteca Nacional, um grupo de especialistas em utilizar a leitura como aperfeiçoamento individual e da cidadania chegou a instalar, em dois anos, núcleos de ação em 300 municípios, com mais de 30 mil voluntários trabalhando. Aglutinava enfermeiros, operários, soldados, professores, enfim, todas as profissões, até mesmo favelados. No Rio, por exemplo, atuavam na favela do Pereirão. Um dia o coordenador do programa recebeu um grupo de marginais armados. Ficou assustado. No entanto, eles vieram lhe dizer: "A gente tá acompanhando o programa que estão fazendo pras nossas mulheres e filhos e estamos gostando muito desse negócio de leitura. Tamos aqui pra dizer que garantimos o trabalho de vocês. Se alguém quiser sabotar vocês, é só dizer que garantimos".

Os traficantes não puderam manter sua palavra.

Foi o próprio governo, que desastradamente, se encarregou de liquidar o programa.

O VÔO DA ÁGUIA

Já que estamos nesse clima de recomeçar, com a alma limpa para novas coisas, vou iniciar transcrevendo algo que recebi. Havia pensado em outra crônica, coisa do tipo "propostas para um novo milênio", como o fez Italo Calvino. Mas às vezes um texto parabólico, elíptico, pode nos dizer mais que outros pretensamente objetivos. Ei-lo:

> A águia é a única ave que chega a viver 70 anos. Mas para isso acontecer, por volta dos 40, ela precisa tomar uma séria e difícil decisão.
>
> Nessa idade, suas unhas estão compridas e flexíveis. Não consegue mais agarrar as presas das quais se alimenta. Seu bico, alongado e pontiagudo, curva-se. As asas, envelhecidas e pesadas em função da espessura das penas, apontam contra o peito.Voar já é difícil.
>
> Nesse momento crucial de sua vida a águia tem duas alternativas: não fazer nada e morrer, ou enfrentar um dolorido processo de renovação que se estenderá por 150 dias.
>
> A nossa águia decidiu enfrentar o desafio. Ela voa para o alto de uma montanha e recolhe-se em um ninho próximo a um paredão, onde não precisará voar. Aí, ela começa a bater com o bico na rocha até conseguir arrancá-lo. Depois, a águia espera nascer um novo bico, com o qual vai arrancar as velhas unhas. Quando as novas unhas começarem a nascer, ela passa a arrancar as velhas penas. Só após cinco meses ela pode sair para o vôo de renovação e viver mais 30 anos.

Esse texto foi mandado como um cartão de fim de ano pela Rose Saldiva, da Saldiva Propaganda. Tem mais um parágrafo explicitando, comentando essa parábola e o título geral é "Renovação".

Achei que você ia gostar de tomar conhecimento disto, sobretudo quando janeiro nos inunda com sua luz.

Esse texto vale mais que mil ilustrações.

Sei como é difícil uma nova ou surpreendente idéia para cartão de fim de ano. Mas esse, além de bater fortemente em nosso imaginário, dispara em nós uma série de correlações e desdobramentos.

A abertura é seca e forte. Não há uma palavra sobrando. Parece as batidas do destino na Quinta Sinfonia de Beethoven. Releiam: "a águia é a única ave que chega a viver 70 anos. Mas para isso acontecer, por volta dos 40, ela precisa tomar uma séria e difícil decisão".

Já li em algum lugar que Jung dizia que em torno dos 40 alguma coisa subterrânea começa a ocorrer com a gente e os seres humanos sentem que estão no auge de sua força criativa. É quando podem (ou não) entrar em contato com forças profundas de sua personalidade.

Já ouvi de especialistas em administração de empresas que tem uma hora em que elas começam a crescer e seus dirigentes têm que tomar uma decisão – ou fazem com que cresçam de vez assumindo mais pesados desafios ou, então, fecham, porque ficar estagnado é apenas adiar a morte.

Já mencionei em outras crônicas o personagem Jean Barois (de Roger Martin du Gard) que fez um testamento aos 40 anos, quando achava que estava no auge de sua potência intelectual, temendo que na velhice, carcomido e alquebrado, fizesse outro testamento que negasse tudo aquilo em que acreditava quando jovem. Com efeito, envelhecendo, fez realmente outro testamento que desautorizava e desmentia o anterior. É que sua perspectiva na trajetória da vida mudara, como muda a de um viajante ou a do observador de um fenômeno.

O ano está começando.

Mais grave ainda: um século está se iniciando.

Gravíssimo: mais que um ano, mais que um século, um novo milênio está se inaugurando

Três vezes Sísifo: o ano, o século, o milênio.

Sísifo – aquele que foi condenado a rolar uma pedra montanha acima, sabendo que quando estivesse quase chegando no topo, cataprum!... a pedra despencaria e ele teria que empurrá-la, de novo, lá para o alto.

Pois bem: "a águia é a única ave que chega a viver 70 anos. Mas para isso acontecer, por volta dos 40 anos, ela precisa tomar uma séria e difícil decisão. Nessa idade suas unhas estão compridas. Não consegue mais agarrar as presas das quais alimenta. Seu bico, alongado e pontiagudo, curva-se. As asas, envelhecidas e pesadas em função da espessura das penas, apontam contra o peito. Voar já é difícil."

Nossa sociedade pensou ter inventado uma maneira de resolver, nos seres humanos, o drama da águia: a cirurgia plástica. Silicone aqui e acolá, repuxar a pele acolá e aqui, pintar e implantar cabelos. Isso feito, a águia sai flanando pelos salões, praias, telas, ruas, escritórios e passarelas.

Mas aquela outra águia prefere uma solução que veio de dentro. Talvez mais dolorosa. Recolher-se a um paredão, destruir o velho e inútil bico, esperar que outro surja e com ele arrancar as penas, num rito de reiniciação de 150 dias.

Então, a águia, digamos, acabou de descasar.

(Tem que redimensionar seu corpo e seus desejos, desmontar casa e sentimentos, realocar objetos e sensações, reassumir filhos.)

Então, a águia, digamos, acabou de perder o emprego.

(Tem que descobrir outro trajeto diário, outras aptidões, enfrentar a humilhação.)

Então, a águia, digamos, acabou de mudar de país.

(A crise ou o amor levou-a a outras paragens, tem que reaprender a linguagem de tudo e reinventar sua imagem em outro espelho.)

Então, a águia, digamos, acabou de perder alguém querido.

(É como se uma parte do corpo lhe tivesse sido arrancada, sente que não poderá mais voar como antes, que o azul lhe é inútil.)

Então, a águia, digamos, está numa nova situação em que está sendo desafiada a mostrar sua competência.

(Tem medo do fracasso, acha que não terá garras nem asas para voar mais alto.)

Então, a águia, digamos, andou olhando sua pele, sua resistência física, certos achaques de velhice.

Pois bem. Há que jogar fora o bico velho, arrancar as velhas penas, e recomeçar.

Época de metamorfose.

Os estudiosos da metamorfose dizem que não apenas larvas se transformam em borboletas. Para nosso espanto as próprias pedras passam também por silenciosas metamorfoses.

Enfim, parece que estamos condenados à metamorfose. Morrer várias vezes e várias vezes renascer. Até que, enfim, cheguemos à metamorfose final, onde o que era sonho e carne se converte em pó.

Mas que fique sempre no azul o imponderável vôo da águia.

VIVENDO NUM CARTÃO-POSTAL

A mim, me tocou habitar o paraíso por um mês.

Claro que mesmo aqui ouço ruídos que do inferno me mandam os jornais, por exemplo, notícias de Kosovo. E Kosovo está ali, do outro lado do Adriático, e estou à beira do Lago de Como, e daqui perto, de Aviano, estão saindo os aviões que vão bombardear Belgrado e as tropas sérvias que estão dizimando muçulmanos e albaneses.

Mas a mim, me coube habitar o paraíso por um mês. E nem me importa que essa eternidade dure apenas 30 dias, pois para mim será eterna enquanto dure. E quando essa momentânea eternidade acabar, a restaurarei para sempre na memória.

Estou em Bellagio. Uma vilazinha ao norte da Itália onde a Fundação Rockefeller achou por bem adquirir, em 1959, a *Villa Serbelloni* e aqui instalar artistas e pesquisadores, para que possam desenvolver projetos específicos.

A *Villa* é uma espécie de palácio do século XVIII. Está a cavaleiro do Lago de Como e do Lago de Lecco. Da janela de meu quarto os vejo a ambos. Além da superfície azul dos lagos, vejo as montanhas, ainda com os picos gelados, que vão dar logo ali, na Suíça.

É algo muito grave estar onde estou. Porque aqui estiveram personagens históricos que desde a infância via em livros, mas pisar o mesmo terreno, ver a mesma paisagem onde estiveram cria em nós uma esquisita responsabilidade. Aqui esteve, por exemplo, no primeiro século do Império Romano, Plínio – o Moço, que dizia que esse promontório assemelhava-se àqueles sapatos que os atores usavam nas tragédias gregas, que lhes permitiam ver as coisas mais do alto. Durante a Idade Média, Bellagio envolveu-se nas querelas entre Guelfos e Guibelinos. Há documentos assinalando que por aqui passou, neste chão pisou, esta paisagem viu, nada mais nada menos que Leonardo da Vinci. Então, entendam como minha responsabilidade está historicamente aumentando. Quando lhes escrevo estou num estúdio sobre a Capela da *Madonna de Monserrate*, que se origina da presença de um grupo de capuchinhos que para cá veio em 1609. Contrastivamente, aqui estou dizendo essas coisas num computador, que a Fundação providencia para seus bolsistas. À beira do século XXI olho a vista – o lago, os picos gelados, a mesma vista que Alessandro Serbelloni (que adquiriu a *Villa* no século XVIII) viu, a mesma vista que via Ella Walker – a milionária americana que se apaixonou por tudo isto em 1928 e deixou isto tudo para a Rockefeller, após tornar-se a *Serena Alteza, Ella, Princesa da Torre e Tasso.*

Para chegar ao meu estúdio, por uns dez minutos atravesso um jardim barroco, com ciprestes cônicos, canteiros cuidadíssimos em diversos formatos. E como faz um ameno sol de primavera, as flores que começam a desabrochar me saúdam, e me saúdam as rochas e as grutas; até mesmo pequenos lagartos, que se agitam nas folhagens dos canteiros, dizem: "O que fazes por aqui ó estranho brasileiro?"

De algum modo, esses estúdios para os convidados, os jantares no fim do dia, tudo isto restabelece o conceito de arcádia dos séculos XVII e XVIII, quando artistas e cientistas vários se reuniam, inicialmente em Roma, sob a égide da rainha Cristina da Suécia, para elaborar obras e sentimentos.

O nobre Serbelloni disseminou pela encosta de sua propriedade árvores de todo tipo, criando, como em várias *villas* italianas, um jardim botânico pessoal. Passeio por esse e outros jardins dessa região e me surpreendo tropicalmente de que não há papel, lata, nem cocô pelos cantos. Não vejo sequer os insetos. Assim, posso deitar-me nesse gramado, olhando as montanhas que vão dar na enigmática Suíça ou contemplar um ou outro barco transitando entre as margens.

Aqui o convidado não tem que se preocupar com nada. E isso é preocupante. Deve apenas desenvolver sua obra ou projeto, que a infra-estrutura, americanamente, funciona à perfeição. Para quem teve que lutar contra todo tipo de adversidade para escrever e publicar, cair, assim, no paraíso é traumatizante. Às vezes, só se consegue trabalhar sob pressão, e não havendo a infernal pressão há que reorganizar a alma para a rotina divina.

A vida é bela, e me sinto como se tivesse ganho o Oscar, mesmo sendo brasileiro. Claro que sei que os desempregados e os sem-terra estão lá exigindo seus direitos. Claro que sei que ali ao lado de minha casa, no Rio, está aquela favela, onde logo na entrada não se distingue o lixo humano da miséria empilhada pela própria Comlurb. Claro que sei que a matança continua lá em Kosovo, e aqui no paraíso houve um seminário sobre este tema e alguém se perguntava: "Por que pessoas inteligentes fazem coisas tão estúpidas, como essa guerra?"

Estou na Itália, tenho vários motivos para dizer que *la vita é bella* e quero dizer àqueles que acharam o filme de Benigni uma fantasia impossível, que o jornal *La República* acaba de publicar uma reportagem com Liliana Bucci, uma judia sobrevivente de Auschwitz, que ali esteve quando tinha 6 anos. E ela diz: "As fábulas sempre têm algo de realidade dos fatos, e eu sou a prova viva de que *La vita é bella* é uma estória verdadeira e autêntica."

Mede-se um ser humano pela maneira como lida com o horrível e com o belo. Estamos sujeitos ao Inferno e ao Paraíso ao mesmo tempo. Digo isso pensando na mistura da realidade com a ficção, e no fato de estar concretamente onde da Vinci, Plínio – o Moço e outros estiveram e me lembro de que outro dia vi um filme com Schwazennegger em que um garoto sai da cadeira do cinema, entra na tela para viver aventuras com aquele herói, recriando inteligentes situações de tempo & espaço, como Woody Allen havia feito em *A rosa púrpura do Cairo*. Pois foi na paz desse cenário em que estou, que Mary Shelley, paradoxalmente, criou o seu Frankenstein. O belo, o bom, o verdadeiro deu-lhe saudades do feio, do perverso e do pesadelo.

Pois eu estou ao mesmo tempo no passado e no presente. Na realidade e no sonho. Estou seguro de que acabei de entrar num cartão-postal verdadeiro. Aqui tudo é um cartão-postal daqueles que a gente manda para os que ficaram no real e infernal cotidiano. A vida é bela. Pássaros e flores me trazem a primavera, o lago e as montanhas com a neve me saúdam e desse promontório no paraíso finjo que a eternidade pode durar mais que um mês.

O QUE QUEREM AS MULHERES?

*F*reud fez uma famosa indagação, que até hoje está lhe custando caro. Disse que depois de ter estudado tudo que podia sobre a mente humana, havia uma pergunta que não conseguia responder: "Afinal, o que querem as mulheres?"

Não só as feministas, mas até os homens sensatos acharam que o companheiro estava exagerando. E recentemente duas variantes de resposta a Freud surgiram. Uma foi o livro da americana Erica Jong, *O que querem as mulheres* (Ed. Record), e agora mais recentemente esse filme com o Mel Gibson, *What women want?*

Mas existe uma outra resposta que me parece a melhor para a questão plantada por Freud. Trata-se de uma lenda que, a rigor, antecede ao lendário Freud, e fico pensando que se Freud a conhecesse talvez se poupasse de se expor daquela maneira.

Diz a estória, que o Artur – aquele da Távola Redonda – quando era jovem, certo dia cometeu uma infração: foi caçar na floresta de outro rei e acabou sendo preso e levado à presença do outro monarca para ser punido.

Deveria ser condenado à morte. No entanto, o rei que o deteve resolveu dar-lhe uma chance. Pouparia sua vida se conseguisse, dentro de um ano, responder à pergunta pré/pós-freudiana: "O que querem as mulheres?"

Agradecido pela deferência, Artur saiu à cata da resposta. Perguntava daqui, perguntava dali, mas nem os religiosos, nem os médicos, nem os inveterados conquistadores de corações femininos conseguiam lhe responder com clareza. Estava já o prazo se exaurindo, quando lhe informaram que havia uma bruxa que sabia a resposta. Foi procurá-la. Era uma bruxa como têm que ser as bruxas nas lendas: velha, desdentada, falando impropérios. Artur, no entanto, fez-lhe a pergunta. Ela lhe disse que lhe daria a resposta caso ela pudesse se casar com o cavaleiro Gawain, que era o mais belo e valoroso dos companheiros de Artur. Este, perplexo, foi ao amigo e lhe expôs a patética situação. Amigo que é amigo, sobretudo nas lendas, não vacila. Faria tudo para salvar o companheiro de peripécias, até mesmo casar com uma bruxa.

Acertada a condição, então, a bruxa respondeu à pergunta fatal, dizendo: "Sabe o que realmente quer a mulher? Ela quer ser senhora de sua própria vida!" Artur e os demais, inclusive o rei que o havia condenado, ficaram todos atônitos, se dizendo, como é que nós não pensamos nisto antes, a resposta é simples e genial. E Artur foi então perdoado.

Mas a estória continua, o casamento tinha que se realizar, pois Gawain não era de deixar mesmo uma bruxa na mão. No dia das bodas, foi um vexame. A bruxa emporcalhava a mesa, ria com seus dentes faltosos, enfim, um espavento. Mas a festa foi continuando, foi-se aproximando a hora da chamada união carnal no branco leito nupcial. Mas aí, aconteceu algo surpreendente. Estava Gawain já preparado para o cadafalso erótico, quando surgiu-lhe uma deslumbrante e virginal donzela à sua frente. E antes que sua perplexidade continuasse, a donzela disse que ela era a bruxa, ou melhor, uma das faces da bruxa. Estava mostrando a sua outra face, porque ele a tinha aceito como era; que de dia era a bruxa façonhenta, de noite, aquela ninfa loira. Mas antes que consumassem a chamada união carnal, Gawain poderia decidir com qual das duas queria viver o resto da vida. Ou a feia que comprometeria sua imagem pública ou a perfeita, que ele, só ele, conhecia à noite.

Gawain então disse que deixava à escolha dela, o que ela queria realmente ser e parecer. A noiva neste momento metamorfoseou-se para sempre na bela mulher do cavaleiro que o acompanharia noite e dia, pois ele havia respeitado nela o que ela realmente era.

Essa estória me foi dada como estando no livro *Feminilidade perdida e reconquistada*, de Robert A. Johnson, livro que não encontrei. Perguntei a Antônio Furtado, que é o maior especialista brasileiro em Rei Artur, e ele disse que conhecia essa lenda.

Não tem importância. É a melhor resposta que encontrei à inquietação de Freud. Mas agora gostaria de cutucar a onça com vara curta e indagar pelo outro lado da questão: Afinal, o que querem os homens?

TEMPO DE DELICADEZA

Sei que as pessoas estão pulando na jugular umas das outras.

Sei que viver está cada vez mais dificultoso.

Mas talvez por isso mesmo ou, talvez, devido a esse maio azulzinho, a esse outono fora e dentro de mim, o fato é que o tema da delicadeza começou a se infiltrar, digamos, delicadamente nesta crônica, varando os tiroteios, os seqüestros, as palavras ásperas e os gestos grosseiros que ocorrem nas esquinas da televisão e do cinema com a vida.

Talvez devesse lançar um manifesto pela delicadeza. Drummond dizia: "Sejamos pornográficos, docemente pornográficos". Parece que aceitaram exageradamente seu convite, e a coisa acabou em "grosseiramente pornográficos". Por isso, é necessário reverter poeticamente a situação e com Vinícius de Morais ou Rubem Braga dizer em tom de elegia ipanemense:

Meus amigos, meus irmãos, sejamos delicados, urgentemente delicados.

Com a delicadeza de São Francisco, se pudermos.

Com a delicadeza rija de Gandhi, se quisermos.

Já a delicadeza guerrilheira de Guevara era, convenhamos, discutível. Mas mesmo ele, que andou fuzilando pessoas por aí, também andou dizendo: "Endurecer, sem jamais perder a ternura".

Essa é a contradição do ser humano. Vejam o nosso sedutor e exemplar Vinícius, que há 20 anos nos deixou, delicadamente.

Era um profissional da delicadeza. Naquela sua pungente "Elegia ao primeiro amigo" nos dizia:

Mato com delicadeza. Faço chorar delicadamente
E me deleito. Inventei o carinho dos pés; minha alma
Áspera de menino de ilha pousa com delicadeza sobre um corpo de adúltera.
Na verdade, sou um homem de muitas mulheres, e com todas delicado e atento.
Se me entediam, abandono-as delicadamente, desprendendo-me delas com uma doçura de água.
Se as quero, sou delicadíssimo; tudo em mim
Desprende esse fluido que as envolve de maneira irremissível
Sou um meigo energúmeno. Até hoje só bati numa mulher
Mas com singular delicadeza. Não sou bom
Nem mau: sou delicado. Preciso ser delicado
Porque dentro de mim mora um ser feroz e fraticida
Como um lobo.

Está aí: porque somos ferozes precisamos ser delicados. Os que não puderem ser puramente delicados, que o sejam ferozmente delicados.

Houve um tempo em que se era delicado. E houve um tempo em que, citando poetas, até se citava Rimbaud. Esse Rimbaud que Paulo Hecker Filho acabou de retraduzir no livro *Só poema bom* e o Leandro Konder reinventou numa moderna trama policial em *A morte de Rimbaud.*

Pois aquele Rimbaud, que aos 17 anos já tinha feito sua obra poética, é quem disse um dia: "Por delicadeza, eu perdi minha vida".

Intrigante isso.

Há pessoas que perdem lugar na fila, por delicadeza. Outras, até o emprego. Há as que perdem o amor por amorosa delicadeza. Sim, há casos de pessoas que até perderam a vida, por pura delicadeza. Não é certamente o caso de Rimbaud, que se meteu em crimes e contrabandos na África. O que ele perdeu foi a poesia. E isso é igualmente grave.

Confesso que buscando programas de televisão para escapar da opressão cotidiana, volta e meia acabo dando em filmes ingleses do século passado. Mais que as verdes paisagens, que o elegante guarda-roupa, fico ali é escutando palavras educadíssimas e gestos elegantemente nobres. Não é que entre as personagens não haja as pérfidas, as perversas. Mas os ingleses têm uma maneira tão suave, tão fina de serem cruéis, que parece um privilégio sofrer nas mãos deles.

Tudo é questão de estilo.

Aquele detestável Bukovski, sendo abominável, no entanto, num poema delicado dizia que gostava dos gatos, porque os gatos tinham estilo. É isso. É necessário, com certa presteza, recuperar o estilo felino da delicadeza.

A delicadeza não é só uma categoria ética. Alguém deveria lançar um manifesto apregoando que a delicadeza é uma categoria estética.

Ah, quem nos dera a delicadeza pueril de algumas áreas de Mozart. A delicadeza luminosa dos quadros dos pintores flamengos, de um Vermeer, por exemplo. A delicadeza repousante das garrafas nas naturezas mortas de Morandi. Na verdade, carecemos da delicadeza dos adágios.

Vivemos numa época em que nos filmes americanos os amantes se amam violentamente, e em vez de sussurrarem "I love you" arremetem um virótico "Fuck you".

Sei que alguém vai dizer que com delicadeza não se tira um MST – com sua foice e fúria – dos prédios ocupados.

Mas quem poderá negar que o poder tem sido igualmente indelicado com os pobres deste país há 500 anos?

Penso nos grandes delicados da história. Deveriam começar a fazer filmes, encenar peças sobre os memoráveis delicados. Vejam o Marechal Rondon. Militar e, no entanto, como se fora um místico oriental, cunhou aquela expressão que pautou o seu contato com os índios brasileiros: "Morrer se preciso for, matar nunca".

A historiadora Denise Bernuzzi de Sant'Anna anda fazendo entre nós o elogio da lentidão, denunciando a ferocidade da cultura da velocidade. É bom pensar nisso. Pela pressa de viver as pessoas estão esquecendo de viver. Estão todos apressadíssimos indo a lugar nenhum.

Curioso. A delicadeza tem a ver com a lentidão. A violência tem a ver com a velocidade. E outro dia topei com um livro, *A descoberta da lentidão*, no qual Sten Nadolny faz a biografia do navegador John Franklin, que vivia pesquisando o Pólo Norte. Era lento em aprender as coisas na escola, mas quando aprendia algo o fazia com mais profundidade que os demais.

Sei que vão dizer: "A burocracia, o trânsito, os salários, a polícia, as injustiças, a corrupção e o governo não nos deixam ser delicados."

– E eu não sei?

Mas de novo vos digo: sejamos delicados. E, se necessário for, cruelmente delicados.

NÓS, OS QUE MATAMOS TIM LOPES

Você que, numa festa, vai ao banheiro cheirar uma carreirinha de pó, você matou Tim Lopes.

Você que dá festas elegantes servindo êxtase em bandejas para seus sorridentes convidados, você matou Tim Lopes.

Você que se encontra com sua turma no bar, fica ali pela calçada com um copinho na mão, mas dá suas cafungadas, porque isto faz parte da "nite", você matou Tim Lopes.

Você, ator de teatro e televisão, que manda ver nas drogas, você matou Tim Lopes.

Você artista e intelectual que curte seu pozinho e faz elogio de um equivocado conceito de marginalidade estética, você matou Tim Lopes.

Você jornalista, que curte sua droguinha de vez em quando, você matou Tim Lopes.

Você músico, que para embalar seus shows entra no barato, você matou Tim Lopes.

Você policial, que pactua com o crime, que faz vista grossa e que recebe propinas do tráfico, você matou Tim Lopes.

Você advogado, que defende traficantes, que faz de tudo para tirá-los de trás das grades, você matou Tim Lopes.

Você juiz relapso, que neglicencia processos de traficantes, você matou Tim Lopes.

Você político demagogo e clientelista, que só se aproxima da favela para tirar votos, você matou Tim Lopes.

Vocês que fizeram essa política recessiva, que abre empregos no tráfico, vocês mataram Tim Lopes.

Enfim, matamos Tim Lopes todos nós que de maneira direta e indireta pactuamos com o crime. Porque chegamos a um tempo em que a participação indireta tornou-se tão infamante quanto a prática direta do próprio crime.

E não se trata de um exercício do famoso complexo de culpa judaico-cristão. Trata-se, isto sim, de fazer uma autocrítica pessoal e do sistema que engendramos.

O fato é esse. Estamos numa guerra. O governo por inépcia custou a reconhecer isso. Essa guerra já tem mais de 30 anos. Era como se os nazistas tivessem já invadido a França e o governo francês tivesse levado 30 anos para perceber. Há 22 anos, por exemplo, escrevi sobre essa crise. E há muito, correndo o risco de ser mal interpretado, dizia que as Forças Armadas tinham que entrar nesta guerra, antes que virássemos Colômbia.

Numa guerra não há meio-termo. Quem fornece munição ao inimigo está ajudando o outro lado a vencer. Quem dá o seu "tapinha" eventual está não só fortalecendo o traficante como ajudando a que tombem outras vítimas – os drogados. Do mesmo modo que há que traçar novas estratégias bélicas associadas a maciças ações sociais, temos também que rever nossas posturas éticas e até estéticas.

Dou-lhes um exemplo. No dia em que Tim Lopes foi assassinado, estava eu no MAM vendo uma exposição de arte contemporânea, que incluía trabalhos de Hélio Oiticica, artista da vanguarda e da marginalidade artística nos anos 60 e 70. Na parede, entre suas obras, uma bandeira amarela com a reprodução da foto do bandido Cara de Cavalo morto e, em cima, uma frase do artista: "Seja marginal, seja herói".

Houve, portanto, um tempo, tempo recente, quando essa guerra estava começando, em que, em nossa cultura, era um charme louvar o marginal. O artista se julgava um marginal, um guerrilheiro e procurava neles pactos ideológicos, éticos e estéticos. Surgiu toda uma cultura *underground*, que se opondo, às vezes heroicamente, ao sistema, fez uma perigosa aliança com o submundo das drogas. Por contaminação, chegou-se até a criar um tipo de literatura que se gabava de ser "literatura marginal". Claro, havia a ditadura para justificar certas posturas. Mas a contaminação estava feita. E nos dois sentidos. Mesmo os guerrilheiros presos na Ilha Grande, nos anos 70, reconheceriam que passaram conhecimentos e táticas de guerrilha para os presos comuns. Havia ainda a visão romântica de que se poderia cooptar o marginal para a revolução. Na verdade, estava ocorrendo o contrário. Os marginais estavam nos cooptando e expandindo seu mercado, corroendo pelas drogas o sistema. Hoje, reconhece-se, são um "estado paralelo". Elias Maluco e os comparsas que organizam bailes funks onde as letras das músicas recomendam torturar e queimar opositores, esses, para nosso constrangimento, adotando a técnica da "apropriação" tão cara à pós-modernidade, jubilosamente acenam sua bandeira no topo da miséria: "Seja marginal, seja herói".

FAZER 30 ANOS

Quatro pessoas, num mesmo dia, me dizem que vão fazer 30 anos. E me anunciam isso com uma certa gravidade. Nenhuma está dizendo: vou tomar um sorvete na esquina, ou vou ali comprar um jornal. Na verdade estão proclamando: vou fazer 30 anos e, por favor, prestem atenção, quero cumplicidade, porque estou no limiar de alguma coisa grave.

Antes dos 30 as coisas são diferentes. Claro que há algumas datas significativas, mas fazer 7, 14, 18 ou 21 é ir numa escalada montanha acima, enquanto fazer 30 anos é chegar no primeiro grande patamar de onde se pode mais agudamente descortinar.

Fazer 40, 50 ou 60 é um outro ritual, uma outra crônica, e um dia eu chego lá. Mas fazer 30 anos é mais que um rito de passagem, é um rito de iniciação, um ato realmente inaugural. Talvez haja quem faça 30 anos aos 25, outros aos 45, e alguns, nunca. Sei que tem gente que não fará jamais 30 anos. Não há como obrigá-los. Não sabem o que perdem os que não querem celebrar os 30 anos. Fazer 30 anos é coisa fina, é começar a provar do néctar dos deuses e descobrir que sabor tem a eternidade. O paladar, o tato, o olfato, a visão e todos os sentidos estão começando a tirar prazeres indizíveis das coisas. Fazer 30 anos, bem poderia dizer Clarice Lispector, é cair em área sagrada.

Até os 30, me dizia um amigo, a gente vai emitindo promissórias. A partir daí é hora de começar a pagar. Mas também se poderia dizer: até essa idade fez-se o aprendizado básico. Cumpriu-se o longo ciclo escolar, que parecia interminável, já se foi do primário ao doutorado. A profissão já deve ter sido escolhida. Já se teve a primeira mesa de trabalho, escritório ou negócio. Já se casou a primeira vez, já se teve o primeiro filho. A vida já se inaugurou em fraldas, fotos, festas, viagens, todo tipo de viagens, até das drogas já retornou quem tinha que retornar.

Quando alguém faz 30 anos, não creiam que seja uma coisa fácil. Não é simplesmente, como num jogo de amarelinha, pular da casa dos 29 para a dos 30 saltitantemente. Fazer 30 anos é cair numa epifania. Fazer 30 anos é como ir à Europa pela primeira vez. Fazer 30 anos é como o mineiro vê pela primeira vez o mar.

Um dia eu fiz 30 anos. Estava ali no estrangeiro, estranho em toda a estranheza do ser, à beira-mar, na Califórnia. Era um homem e seus 30 anos. Mais que isso: um homem e seus 30 anos. Um homem e seus 30 corpos, como os anéis de um tronco, cheio de eus e nós, arborizado, arborizando, ao sol e a sós.

Na verdade, fazer 30 anos não é para qualquer um. Fazer 30 anos é, de repente, descobrir-se no tempo. Antes, vive-se no espaço. Viver no espaço é mais fácil e deslizante. É mais corporal e objetivo. Pode-se patinar e esquiar amplamente.

Mas fazer 30 anos é como sair do espaço e penetrar no tempo. E penetrar no tempo é mister de grande responsabilidade. É descobrir outra dimensão além dos dedos da mão. É como se algo mais denso se tivesse criado sob a couraça da casca. Algo, no entanto, mais tênue que uma membrana. Algo como um centro, às vezes móvel, é verdade, mas um centro de dor colorido. Algo mais que uma nebulosa, algo assim pulsante que se entreabrisse em sementes.

Aos 30 já se aprendeu os limites da ilha, já se sabe de onde sopram os tufões e, como o náufrago que se salva, é hora de se autocartografar. Já se sabe que um tempo em nós destila, que no tempo nos deslocamos, que no tempo a gente se dilui e se dilema. Fazer 30 anos é como uma pedra que já não precisa exibir preciosidade, porque já não cabe em preços. É como a ave que canta, não para se denunciar, senão para amanhecer.

Fazer 30 anos é passar da reta à curva. Fazer 30 anos é passar da quantidade à qualidade. Fazer 30 anos é passar do espaço ao tempo. É quando se operam maravilhas como a um cego em Jericó.

Fazer 30 anos é mais do que chegar ao primeiro grande patamar. É mais que poder olhar pra trás. Chegar aos 30 é hora de se abismar. Por isso é necessário ter asas, e sobre o abismo voar.

DESPIR UM CORPO A PRIMEIRA VEZ

Despir um corpo a primeira vez é um acontecimento entre dois deuses. Não se pode profanar o instante. E os amantes devem manter o ritmo dos altares. Porque, embora nesses rituais haja sempre panos e trajes para agradar ao Olimpo, é para a nudez total que o céu nos quer arrebatar.

As mãos têm que ter um compasso certo. Um *andante* ou *largo* de Bach nos gestos, compondo a alegria de homens e mulheres. As mãos, sobretudo, não podem se apressar. Com os olhos tem que aprender e, com a ponta dos dedos, contemplar os acordes que irão surgindo quando, peça por peça, o corpo for se desvestindo ao pé do altar.

Antes de se tocar com as mãos e os lábios, na verdade, já se tocou o corpo alheio com um distraído olhar sempre envolvente. E ninguém toca um corpo impunemente. Despir um corpo a primeira vez não pode ser coisa de poeta desatento colhendo futilmente a flor oferta num abundante canteiro de poesia. Nem pode ser coisa de um puro microscopista que olhe as coisas sabiamente. Se tem que ser sábio o olhar, que seja do botânico, porque esse sabe aflorar em cada espécie o que cada espécie tem de mais secreto ou distante, o que cada espécie sabe dar.

Despir um corpo pela primeira vez é conhecer pela primeira vez uma cidade. E os corpos das cidades têm portas para abrir, jardins de repousar, torres e altitudes que excitam a visitação. Algumas cidades sitiadas caem ao som de trombetas, outras se entregam porque não mais suportam a sede e fome de amar. As cidades têm limites e resistência. E, como o corpo, querem alguém que as habite com intimidade solar.

Gêngis Khan, Átila ou qualquer conquistador vulgar têm com as cidades e corpos uma estranha relação. O objetivo é a devassa e a dominação. Conquistada a cidade, a ordem é marchar.

Por isso, cuidado para não se acercar do outro apenas com esse olhar guerreiro ou com esse olhar tolo de turista. O turista, embora procure os sabores típicos, é um *voyeurista* que só quer fotografar. Mas há turistas e turistas, e o pior turista é aquele que olha sem olhar. É um perdido marinheiro que está preso em algum porto, que não se permite num outro corpo inteiramente desembarcar.

Quando os corpos se tocam por acaso, como se estivessem indo em direções diferentes, o que ocorre é desperdício. Não se pode tocar um corpo impunemente. E para se tocar um corpo completa e profundamente num dado instante, os corpos têm que convergir. E convergir com uma lua diferente. A descoberta do outro é isso, é convergência.

Despir um corpo a primeira vez é como despir um presente. Por isso não se pode desembrulhá-lo assim às pressas, embora a gula nos precipite afoitos sobre a pele oferta. Não se pode com as mãos infantis descompassadas ir rasgando invólucros, arrebentando cordões com a gula que as crianças só têm nas confeitarias antes da indigestão.

Despir um corpo a primeira vez, para usar uma imagem conhecida, é mais que ir a primeira vez à Europa. Pode ser, ao contrário, desembarcar pela primeira vez na América sobre a nudez do desconhecido. É descobrir na pele alheia mais que a pele dele, a nossa pele índia. E volto àquela imagem: despir um corpo a primeira vez é tão marcante quanto a vez primeira que um mineiro viu o mar.

Um corpo é surpresa sempre. E o que se vê nas praias, nessa pública ostentação, nesse exercício coletivo de nudez total negaceada, em nada tira a eufórica contenção do ato, quando os dedos vão desatando botões e beijos e rompendo as presilhas das carícias. Despir um corpo a primeira vez não é coisa para amador. Só se o amador for amador da arte de amar. Porque o corpo do outro não pode ter a sensação de perda, mas a certeza de que algo nele se somou, que ele é um objeto luminoso que a outros deve iluminar.

Um corpo a primeira vez, no entanto, é frágil e pode trincar em alguma parte. E os menos resistentes se partem quando aquele que os toca, os toca apenas com a cobiça e nunca com a generosa mansidão de quem veio pela primeira vez, e sempre, para amar.

O HOMEM QUE CONHECEU O AMOR

Do alto de seus 80 anos, me disse: "Na verdade, fui muito amado." E dizia isso com tal plenitude como quem dissesse: sempre me trouxeram flores, sempre comi ostras à beira-mar.

Não havia arrogância em sua frase, mas algo entre a humildade e a petulância sagrada. Parecia um pintor, que olhando o quadro terminado assina seu nome embaixo. Havia um certo fastio em suas palavras e gestos. Se retirava de um banquete satisfeito. Parecia pronto para morrer, já que sempre estivera pronto para amar.

Se eu fosse rei ou prefeito teria mandado erguer-lhe uma estátua. Mas, do jeito que falava, ele pedia apenas que no seu túmulo eu escrevesse: "Aqui jaz um homem que amou e foi amado." E aquele homem me confessou que amava sem nenhuma coerção. Não lhe encostei a faca no peito cobrando algo. Ele é que tinha algo a me oferecer. Foi muito diferente daqueles que não confessam seus sentimentos nem mesmo debaixo de um "pau-de-arara": estão ali se afogando de paixão, levando choques de amor, mas não se entregam. E, no entanto, basta ler-lhes a ficha que está tudo lá: traficante ou guerrilheiro do amor.

Uns dizem: casei várias vezes. Outros assinalam: fiz vários filhos. Outro dia li numa revista um conhecido ator dizendo: tive todas as mulheres que quis. Outros, ainda, dizem: não posso viver sem fulana (ou fulano). Na *Bíblia* está que Abraão gerou Isac, Isac gerou Jacó e Jacó gerou as doze tribos de Israel. Mas nenhum deles disse: "Na verdade, fui muito amado."

Mas quando do alto de seus 80 anos aquele homem desfechou sobre mim aquela frase, me senti não apenas como o filho que quer ser engenheiro como o pai. Senti-me um garoto de 4 anos, de calças curtas, se dizendo: quando eu crescer quero ser um homem de 80 anos que diga: "Amei muito, na verdade, fui muito amado." Se não pensasse isso, não seria digno daquela frase que acabava de me ser ofertada. E eu não poderia desperdiçar uma sabedoria que levou oitenta anos para se formar. É como se eu não visse o instante em que a lagarta se transformaria em libélula.

Ouvindo-o, por um instante, suspeitei que a psicanálise havia fracassado; que tudo aquilo que Freud sempre disse, de que o desejo nunca é preenchido, que se o é, o é por frações de segundos, e que a vida é insatisfação e procura, tudo isto era coisa passada. Sim, porque sobre o amor há muitas frases inquietantes por aí. Bilac nos dizia salomônico: "Eu tenho amado tanto e não conheço o amor." O Arnaldo Jabor disse outro dia a frase mais retumbante desde "Independência ou Morte" ao afirmar: "O amor deixa muito a desejar." Ataulfo Alves dizia: "Eu era feliz e não sabia."

Frase que se pode atualizar: eu era amado e não sabia. Porque nem todos sabem reconhecer quando são amados. Flores despencam em arco-íris sobre sua cama, um banquete real está sendo servido e, sonolento, olha noutra direção.

Sei que vocês vão me repreender dizendo: deveria ter-nos apresentado o personagem, também o queríamos conhecer, repartir tal acontecimento. E é justa a reprimenda. Porque quando alguém está amando, já nos contamina de jasmins. Temos vontade de dizer, vendo-o passar: ame por mim, já que não pode se deter para me amar a mim. Exatamente como se diz a alguém que está indo à Europa: por favor, na Itália, coma e beba por mim.

Ver uma pessoa amando é como ler um romance de amor. É como ver um filme de amor. Também se ama por contaminação na tela do instante. A estória é do outro, mas passa das páginas e telas para a gente.

Todo jardineiro é jardineiro porque não pode ser flor.

Reconhece-se a cinqüenta metros um desamado, o carente. Mas reconhece-se a cem metros o bem-amado. Lá vem ele: sua luz nos chega antes de suas roupas e pele. Sinos batem nas dobras de seu ser. Pássaros pousam em seus ombros e frases. Flores estão colorindo o chão em que pisou.

O que ama é um disseminador.

Tocar nele é colher virtudes.

O bem-amado dá a impressão de inesgotável. E é o contrário de Átila: por onde passa renascem cidades.

O bem-amado é uma usina de luz. Tão necessário à comunidade, que deveria ser declarado um bem de utilidade pública.

AMOR, O INTERMINÁVEL APRENDIZADO

Criança, pensava: amor, coisa que os adultos sabem. Via-os aos pares namorando nos portões enluarados se entrebuscando numa aflição feliz de mãos na folhagem das anáguas. Via-os noivos se comprometendo à luz da sala ante a família, ante as mobílias; via-os casados, um ancorado no corpo do outro, e pensava: amor, coisa-para-depois, um depois-adulto-aprendizado.

Se enganava.

Se enganava porque o aprendizado do amor não tem começo nem é privilégio aos adultos reservado. Sim, o amor é um interminável aprendizado.

Por isso se enganava enquanto olhava com os colegas, de dentro dos arbustos do jardim, os casais que nos portões se amavam. Sim, se pesquisavam numa prospecção de veios e grutas, num desdobramento de noturnos mapas seguindo o astrolábio dos luares, mas nem por isto se encontravam. E quando algum amante desaparecia ou se afastava, não era porque estava saciado. Isso aprenderia depois. É que fora buscar outro amor, a busca recomeçara, pois a fome de amor não sacia nunca, como ali já não se saciara.

De fato, reparando nos vizinhos, podia observar. Mesmo os casados, atrás da aparente tranqüilidade, continuavam inquietos. Alguns eram mais indiscretos. A vizinha casada deu para namorar. Aquele que era um crente fiel sempre na igreja, um dia jogou tudo para cima e amigou-se com uma jovem. E a mulher que morava em frente da farmácia, tão doméstica e feliz, de repente fugiu com um boêmio, largando marido e filhos.

Então, constatou, de novo se enganara. Os adultos, mesmo os casados, embora pareçam um porto onde as naus já atracaram, os adultos, mesmo os casados, que parecem arbustos cujas raízes já se entrançaram, eles também não sabem, estão no meio da viagem e só eles sabem quantas tempestades enfrentaram e quantas vezes naufragaram.

Depois de folhear um, dez, centenas dos corpos avulsos tentando o amor verbalizar, entrou numa biblioteca. Ali estavam as grandes paixões. Os poetas e novelistas deveriam saber das coisas. Julietas se debruçavam apunhaladas sobre o corpo morto dos Romeus, Tristãos e Isoldas tomavam o filtro do amor e ficavam condenados à traição daqueles que mais amavam e sem poderem realizar o amor.

O amor se procurava. E se encontrando, desesperava, se afastava, desencontrava.

Então, pensou: há o amor, há o desejo e há a paixão.

O desejo é assim: quer imediata e pronta realização. É indistinto. Por alguém que, de repente, se ilumina nas taças de uma festa, por alguém que de repente dobra a perna de uma maneira irresistivelmente feminina.

Já a paixão é outra coisa. O desejo não é nada pessoal. A paixão é um vendaval. Funde um no outro, é egoísta e, em muitos casos, fatal.

O amor soma desejo e paixão, é a arte das artes, é arte final.

Mas reparou: amor às vezes coincide com a paixão, às vezes não.

Amor às vezes coincide com o desejo, às vezes não.

Amor às vezes coincide com o casamento, às vezes não.

E mais complicado ainda: amor às vezes coincide com o amor, às vezes não.

Absurdo.

Como pode o amor não coincidir consigo mesmo?

Adolescente amava de um jeito. Adulto amava melhormente de outro. Quando viesse a velhice, como amaria finalmente? Há um amor dos 20, um amor dos 50 e outro dos 80? Coisa de demente.

Não era só a estória e as estórias do seu amor. Na história universal do amor, amou-se sempre diferentemente, embora parecesse ser sempre o mesmo amor de antigamente.

Estava sempre perplexo. Olhava para os outros, olhava para si mesmo ensimesmado.

Não havia jeito. O amor era o mesmo e sempre diferenciado.

O amor se aprendia sempre, mas do amor não terminava nunca o aprendizado.

Optou por aceitar a sua ignorância.

Em matéria de amor, escolar, era um repetente conformado.

E na escola do amor declarou-se eternamente matriculado.

QUANDO SE É JOVEM E FORTE

*U*ma vez uma mulher me disse: vocês jovens não sabem a força que têm.

Ela falava isso como se colocasse uma coroa de louros num herói. Ela falava isso como se não apenas eu, mas todos os jovens fôssemos um grego olímpico ou um daqueles índios parrudões nos rituais da reserva do Xingu.

De certa maneira ela dizia: vocês têm o cetro na mão. E eu, jovem, tendo o cetro, não o via.

Aquela frase me fez olhá-la de onde ela falava: do lugar da não-juventude. Ela expressava seu encantamento a partir de uma lacuna. Se colocava propositadamente no crepúsculo e com suas palavras me iluminava. Essa frase lançada generosamente sobre minha juventude poderia ter se perdido com tantas outras de que necessito hoje, mas não me lembro. Contudo, ela ficou invisível em alguma dobra da lembrança. Ficou bela e adormecida muitos séculos, encastelada, até que, de repente, despertou e me veio surpreender noutro ponto de minha trajetória.

Possivelmente a frase ficou oculta esperando-me amadurecer para ela. Só uma pessoa não-mais-jovem pode repronunciá-la com a tensão que ela exige.

Vocês jovens não sabem a força que têm.

Pois essa frase deu para martelar em minha cabeça a toda a hora que uma adolescente passa com sua floresta de cabelos em minha tarde, toda vez que um rapaz de ombros largos e trezentos dentes na boca sorri com estardalhaço gesticulando nas vitrinas das esquinas.

Possivelmente é uma frase ainda mais luminosa no verão.

E mais irradiantemente bela ainda quando termina e principia e tudo recobra força e viço, e a pele do mundo fica eternamente jovem.

Outro dia a frase irrompeu silenciosamente em mim como coroamento de uma cena. Uma cena, no entanto, trivial.

Estávamos ali na sala de um apartamento e conversávamos. Um grupo, digamos, de pessoas maduras. Cada um com seu copinho de uísque na mão, conversando sobre negócios e banalidades. De repente entra pela sala uma adolescente preparando-se para sair. Entra como faz toda adolescente: pedindo à mãe que veja qualquer coisa em seu vestido ou lhe empreste uma jóia. E quando ela entrou tão naturalmente linda, não de uma beleza excepcional, mas de uma beleza que se espera que uma jovem tenha, quando ela entrou, um a um, todos, foram murchando suas frases para ficarem em pura contemplação.

Ali, era disfarçar e contemplar. Parar e haurir.

Poder-se-ia argumentar que vestida assim ela parecia Grace Kelly, um cisne solicitando adoração. Mas se assim é, por que a mesma cena se repetiu quando entrou outra irmã, impromptamente, de *jeans*, vinda da rua, espalhando brilho nos dentes e vida nos cabelos?

Olhava-se para uma, olhava-se para outra. Olhava-se para os pais que orgulhosos colhiam a mensagem no ar. E surge a terceira filha, também adolescente com aquela roupa displicente que, em vez de ocultar, revela mais ainda juventude.

Essa experiência se repete quando numa família são apresentados os filhos jovens. Igualmente quando se entra numa universidade e se vê aquele enxame de camisetas, *jeans* e tênis gesticulando e rindo entre uma sala e outra, entre um sanduíche e um livro, sentados, displicentes, namorando sob árvores e na grama, como se dissessem: eu tenho a juventude, o saber vem por acréscimo.

Infelizmente não vem. E a juventude se gasta. Como as pedras se gastam, como as roupas se gastam, se gasta a pele, embora a alma se torne mais densa ou encorpada.

Algo semelhante ocorre diante de qualquer criança. Para um bebê convergem todas as atenções na sala. Sorrisos se desenham nos rostos adultos e o ambiente é de terna devoção. É a presença da vida, que no jovem parece ter atingido seu auge.

Por isso, ver um (ou uma) jovem no esplendor da idade é como ver o artista no instante de seu salto mais brilhante e perigoso ou ver a flor na hora em que potencializa toda sua vida e imediatamente nunca mais será a mesma.

Claro, há jovens que são foscos e velhos que são radiosos adolescentes. Não é disso que falo.

Estou falando de outra coisa desde o princípio. Daquela frase que aquela mulher depositou na minha juventude e agora renasceu.

Gostaria de doá-la a alguém. Penso nisso e a porta se abre. Irrompem, lindas, minhas duas filhas. Extasiado lhes dou um beijo e digo:

– Filhas, vocês não sabem que força têm.

A CORRUPÇÃO NOSSA E ALHEIA

A corrupção não é uma invenção brasileira.

Essa é a conclusão (tola e científica) a que cheguei depois de ler dezenas de livros sobre o assunto. O que talvez seja brasileira nesse assunto é a incompetência no seu combate.

Por exemplo. Os três governos mais corruptos dos Estados Unidos foram os de Grant, Harding e Truman. No tempo de Grant, como disse o senador Paul Douglas, "as ferrovias do país compravam legisladores como se fossem gado". E o próprio secretário do presidente participava da "quadrilha do uísque". Já o presidente Harding, como lembram alguns historiadores, morreu por causa dos escândalos na sua administração. Para fugir à atmosfera desses escândalos embarcou numa viagem para o Alasca. E para distrair-se começou a jogar pôquer desvairadamente. O trem seguia e ele seguia jogando até 15 horas consecutivas. Os assistentes se revezando na mesa de jogo, em turmas que descansavam de três em três horas. Quando a comitiva presidencial chegou em São Francisco o presidente teve um ataque cardíaco.

Mas Truman teve uma administração ainda mais corrupta. "Nunca houve tanta corrupção praticada por tantos funcionários públicos, em tantos lugares. A máquina arrecadadora de impostos da nação estava infestada de alto a baixo de suborno." Como diz Francisco Bilac Pinto: "Harry Truman, longe de tomar medidas efetivas para aniquilar a corrupção, em alguns casos protegia os culpados, em outros permanecia indiferente ou empregava a máquina da administração para bloquear e desviar os investigadores da corrupção. As fraudes foram reveladas, não por causa da administração, mas apesar dela".

E tem mais. O governo Eisenhower teve inúmeros casos na mesma linha. E o santo Abraham Lincoln, como relata em sua biografia Carl Sandburg, também usou práticas corruptoras, ainda que para conseguir resultados louváveis, como a libertação dos escravos em Nevada.

E para quem não sabia, o governo Reagan já processou 113 membros e assessores, alguns dos quais foram para a cadeia.

E aí é que está o *busilis* da questão. A corrupção não é uma invenção brasileira. Mas ainda não inventamos como botar na cadeia os corruptos. Esse desalento que sentimos é o mesmo do senador Fullbright, que quando sobre os escândalos da era Truman, disse: "Escândalos no governo não constituem fenômeno novo. O que parece ser novidade, a respeito desses escândalos, é a insensibilidade ou a apatia com que aqueles que exercem posições de responsabilidade se conformam com as práticas que os fatos comprovam. É sumamente lamentável ter a corrupção no nosso meio, mas o mais grave é perdoá-la ou aceitá-la como inevitável."

Segundo os historiadores, há dois séculos "a Grã-Bretanha era uma cloaca de corrupção". Muitas famílias finíssimas se estabeleceram a partir daí e algumas deram até primeiro-ministro. Alguns dizem que moralização se deve à rainha Vitória; outros, à religião metodista criada por John Wesley. O fato é que, orgulhosamente, Paul Douglas diz: "A vida política inglesa hoje é exercida em nível moral relativamente alto. Os servidores civis que fazem andar a administração dos negócios públicos são quase incorruptíveis e as eleições para o Parlamento são conduzidas com um mínimo de suborno, calúnias e afrontas."

E na Rússia?

Quem quiser saber que leia *A kleptocracia – A corrupção na União Soviética*, de Patrick Meney, na qual há até a tabela de "taxas de corrupção". Autores como Jean-François Revel e Fred Riggs estudam a corrupção nos países do Terceiro Mundo e no universo sindical. E outros como Michael Johnston consideram o "custo e benefícios da corrupção" e nos ensinam a "viver com a fera".

Parece, portanto, que todos estão acordes em que a corrupção existe em qualquer época e regime. O que se quer é o "mínimo de suborno". Ou seja: em vez de deixar a fera solta devorando indistintamente tudo e todos, colocá-la na jaula. Mantê-la sob dieta.

E no Brasil?

Aquele entrevero entre o presidente Sarney e dom Luciano Mendes deixou uma série de ambigüidades no ar. Existe ou não existe corrupção? Existem ou não meios de combatê-la? Um ministro chegou a dizer que era muito difícil, porque os corruptos não deixam pista. Será que nossos corruptos são mais hábeis do que os de outros países? Ou será que nossas leis são mal elaboradas? Lei é que não falta. Acabo de descobrir uma ótima: Lei 3.502, de Bilac Pinto, que "regula o seqüestro e o perdimento de bens nos casos de enriquecimento ilícito, por influência ou abuso de cargo ou função". É de 1958. E gostaria de saber o que fizeram com ela. Por que será que essa lei não "pegou"?

DELICADAS, AS AMIZADES

"*P*ode-se dizer tudo o que se pensa a um amigo?"

– Quanto de verdade suporta um amigo?

– Aliás, o que é a verdade? – já indagava Pilatos antes de crucificar o outro.

– Como combinar, articular, fazer coabitar a verdade nossa com a verdade do amigo?

São muito delicados os amigos. Ou, se quiserem, as amizades. São delicadíssimas. E é por isso que convém aceitar que cada amizade tem suas fragilidades.

Bom, se o anel que tu me deste era vidro e se quebrou, então, melhor seria que de diamante fosse. Este, inquebrantável. Mas amizade, convenhamos, é coisa humanamente frágil. E a gente pensa que ela está aí para sempre. Mas não tem a durabilidade centenária das sequóias, que ficam se alongando e nos ofertando sombra acima de tudo. Às vezes, as amizades são essas orquídeas, carentes de um tronco alheio onde se alimentar e florescer.

A gente pensa que amizade é coisa só de gente humana. Não é. Os animais curtem amizades; alguns, o amor, e outros chegam à paixão extrema por seus donos. E, no entanto, amigos, cães se mordem, quase se arrancam as orelhas num ou noutro embate, às vezes por uma cadela no cio, às vezes por nada.

Pode-se perder uma amizade por excesso de zelo, como se ao esfregar demais o tecido o rompêssemos. Cuidado, portanto, com o excesso, às vezes excessivo. Claro, também, se perde amigo pela escassez de socorro ou de sinalizações afetivas. Também pela fala mal desferida. Ou mal ouvida. A gente fala ou escreve uma coisa, o outro outra coisa ouve. Se não der para desentortar a frase ou o ouvido alheio a amizade fica torta.

Diz o apóstolo Paulo que o amor tudo suporta, tudo espera, tudo perdoa.

– É assim a amizade?

Até hoje não ficou muito clara a diferença entre amor & amizade. Mesmo porque muito amor termina se metamorfoseando em amizade; uma amizade pode virar amor, e podemos inimizar a quem amamos e nos esforçamos por ser amigo de quem nos despreza. De resto, para matizar ainda mais as coisas, os franceses costumam falar de "amizade amorosa", algo parecido com o que aqui há tempo se chamou de "amizade colorida".

– Mas o que fazer quando algo nos incomoda no outro e a gente sente que se não falar a amizade vai começar a ratear?

Não há amizade assim solta no ar. Cada amizade tem sua usança e sua pertinência.

– Deveríamos então criar um manual, algo assim como "Amizade, modo de usar"? Ah, sim! Mas isso já existe, está lá naquele *best seller, Como fazer amigos e influenciar pessoas*.

– Está?

Drummond tinha razão, uma triste razão, é verdade, ao dizer que as pessoas deveriam manter entre si a mesma relação que entre si mantêm a ilha e o continente, um certo distanciamento e uma não muito estouvada confraternização.

– Mas aí a amizade vira algo pouco tropical, e como Thomas Merton dizia que nenhum homem é uma ilha, o que fazer com os que não têm a fleuma mineiro-britânica e não suportam viver num frio ou morno relacionamento?

Há pilotos que pousam pesados jumbos em pistas com uma suavidade angelical, e por isso merecem aplausos.

Há médicos que fazem incisões profundas para manter o outro vivo.

– Como dizer o que se deve dizer sem sangue ou náusea?

Um dia um ex-amigo me disse: "No princípio tentei te imitar, depois resolvi te destruir."

Tive que me proteger.

– Quem, como José Martí, dirá que cultiva a rosa branca em junho e em janeiro para o amigo sincero que me dá sua mão franca, e para o cruel que me arranca o coração com que vivo, nem cardo ou urtiga cultivo, cultivo a rosa branca!?

Delicadas, as amizades. Uns porque se aproximando do poder esquecem os que no poder não estão. Nesse caso não se pode nada. Outros porque viajam de formas várias e absolutamente impenetráveis ao redor do próprio umbigo.

– Retornarão algum dia?

Nesse caso, como dizia Neruda, os de então já não seremos os mesmos.

Há vocacionados para amizade. Têm um dom natural. Árvores copadas onde se reúne o rebanho. Quando você vê, está todo mundo ali ouvindo, curtindo ou simplesmente estando.

– Qual o grau de resistência de uma amizade?

De um metal podemos dizer: derrete-se a tal ou qual temperatura.

São delicadas as amizades. E mesmo as mais sólidas às vezes desmancham-se no ar.

VONTADE DE TER NETOS

No avião, meu amigo falou:

– Sabe que estou sentindo uma necessidade danada de ter netos?

Olhei para ele com um supremo ar de compreensão.

E ele continuou

– Quando vou ao *shopping* com minha mulher, é um escândalo. Aquelas criancinhas passando no colo dos pais e mães me deixam fissurado. Acabo brincando e pegando em uma ou outra. Minha mulher se preocupa. Podem achar que sou um tarado. E o diabo – enfatizou desolado –, é que minha filha ainda é adolescente e vou ter que continuar esperando.

Ele falou isso e a conversa tomou outros rumos. A aeromoça começou a servir os drinques e aquela comida, que a gente só acha interessante se viajar raramente de avião.

De repente, do banco da frente, por sobre os ombros da mãe, vejo elevar-se um rostinho lindo de menina loira, olhos claros. Ela nos olha com aquela vontade de olhar e compreender o mundo que só têm os muito puros. Sorri, e ergue o bracinho em minha direção. Estendo-lhe o dedo, começo a fazer aquelas macaquices que adulto faz irremissivelmente quando diante da cândida entrega de uma criança.

Ela me olha aprendendo logo as regras do jogo. Pega no meu dedo, depois esconde a cabecinha fingindo-se encabulada, num esconde-esconde risonho.

O amigo ao lado, preparadíssimo para ser avô, morre de ciúmes. Está um pouco longe e não dá para brincar com a menininha. E ela se diverte. Descobre, do outro lado, uma passageira que começa a disputar comigo o namoro com a criança. Por alguns instantes ela me é infiel, com meu consentimento.

E o avião prossegue por nuvens que não vemos, sobre paisagens que não conferimos, sobre paixões e desesperos que se abrigam nas casas lá embaixo, até que estamos pousando no aeroporto.

Estamos todos de pé, afoitamente esperando ordens de desembarcar. E aí começa o segundo capítulo dessa estória de seduções entre respeitáveis senhores e a bebê de colo.

De repente, todos nos damos conta desta cena: na ala esquerda, no colo da mãe, a irresistível infante, na ala direita em pé, entre outros passageiros, um senhor de cabelos brancos a falar com a menininha do lado de lá.

E falava com intimidade total, como se a conhecesse desde sempre. E se chamava de vovô para que ela aportasse nele o seu afeto com segurança. Parecia prometer presentes ou continuar histórias iniciadas em outras viagens.

Os passageiros todos assistiam à cena de namoro explícito.

Meu amigo, novamente enciumadíssimo, ele tão preparado para ser avô e aquele bebê traindo-o com outro avô na sua cara.

Fomos saindo e tivemos que passar por aquela coisa sempre incômoda que é descer escadas de avião e entrar no ônibus que nos leva às malas. Mas se tivessem acoplado aquele tubo para passageiros, como nos aeroportos já prontos, teríamos no entanto perdido a continuação da cena de namoro que progredia velozmente entre o avô desconhecido e a menininha irresistível.

Agora a menina está no colo da mãe sentada no banco que está frente a frente com o banco onde está o avô postiço. Entre eles há pessoas em pé com mochila nos ombros, pasta na mão, todos com ar seriíssimo, de quem quer logo chegar em casa.

Mas o senhor e a menina se acharam na multidão, de novo. Então, os corpos que se entrepunham, generosamente se afastaram para abrir espaço para o prosseguimento do namoro. E assim como no avião, no ônibus todos começaram a prestar atenção na cena, invejosos e fascinados.

De repente, como nos namoros autênticos, houve um avanço repentino e a menina, pronto, já estava no colo do homem. A mãe a havia estendido em seus braços e ela viera rindo ao colo do conhecido desconhecido. E chegando aos braços dele fez sinal que queria voltar para a mãe. O homem ergueu o braço, o ônibus andando, e passou-a à mãe.

Contudo, a criança descobriu logo a brincadeira e começou a comandar o jogo, assinalando quando queria voltar aos braços de um e outro. E breve a graça era essa, não estar nem com um nem com o outro, mas entre um e outro, sorrindo entre os sorrisos dos dois e o encantamento de todos os ex-sisudos passageiros que se deliciavam com a cena.

O senhor de cabelos brancos já não tinha qualquer constrangimento. Começou a se esconder e a mostrar o rosto por detrás de um paletó no cabide e a mostrar o rosto por detrás de um paletó no cabide dependurado no corrimão. E a criança sorria. Estávamos eu e o meu amigo candidato a avô vendo o momento em que o avô em exercício, ali no ônibus, ia se botar de quatro, pedir à menina para montar nele, brincar de cavalinho ou começar a cantar canções de ninar ou contar histórias do Chapeuzinho Vermelho. E isso com a permissão de todos os presentes.

– Adoro crianças – me disse ele ao descer do ônibus.

Existiria mesmo o relógio biológico?

No avião vinha dizendo ao amigo:

– Acho que deveria existir butiques de netos. A gente estando carente, ia lá alugava um para um dia, um fim de semana ou viagem, era um duplo serviço à sociedade.

Conheço pessoas que eram indiferentes a crianças e, de repente, começaram a se derreter diante de qualquer uma, mesmo diante das feinhas. Homens, e não somente as mulheres, vão chegando a certa idade e começam a ter uma fúria uterina de ter filhos. E isso se repete depois com essa vontade carinhosa de ter netos.

A gente pensa que pensa o corpo, e o corpo é que nos pensa. Sabemos pouco. Somos instrumentos da natureza. O que nos compete, talvez, diante disso, é anotar o que o corpo nos sugere.

Se possível, com alguma sabedoria.

O SURGIMENTO DA BELEZA

O surgimento da beleza paralisa tudo.

A respiração se modifica, os olhos se completam numa outra luz e o corpo inteiro se alça da pequenez do instante.

E aquela mulher ali na praia, em pé dentro d'água, não pediu licença alguma, mas invadiu minha vida e a de quantos a contemplam em pura epifania e devoção.

Paro de caminhar. Sou um contemplador do instante. Todos nos concentramos naquelas formas onde a harmonia se condensou em pernas, braços e cabelos ao vento. A beleza tem isto: quando irrompe, alicia a todos. E ali estamos conferindo nos olhos uns dos outros a mesma admiração. Estamos todos coniventes diante da beleza que surgiu no mar.

Mas a beleza, quando surge, mais do que imprevista, é imperiosa e exige dedicação. Se aquela mulher virasse para o seu público e dissesse: "Matem-se por amor de mim!", todos nos atiraríamos na eternidade. Se dissesse: "Escalem o Himalaia!", subiríamos voando como querubins.

Por isso, é muito perigoso o encontro com a beleza. A alguns ela devora docemente. A outros ela desarma totalmente e petrifica. Ela não pede nada, e, no entanto, parece o tempo todo ordenar. Deve ser por isso que os gregos queriam vinculá-la à Verdade e ao Bem. A beleza perversa seria o nosso fim.

Olhei um girassol no meu terraço outro dia no exato momento de sua glória. O que ele me oferecia naquele instante era de uma eternidade penetrante. Examinei-lhe a geometria luminosa, que nenhum Vassarely jamais conseguiria reproduzir em seus painéis, apesar do computador. O girassol, tanto quanto eu, sabia que aquele era o seu instante de beleza aguda e se oferecia a mim extasiado em sua doçura, como só se extasia nele a perdida abelha.

Há dias que saio pelas ruas e festas faminto de beleza. Abro livros procurando certas passagens, leio poemas que sei de cor, de novo ouço uma flauta, um oboé, procuro aquele movimento de cordas de um determinado concerto. Eu sei onde encontrar a beleza. Vivo com ela. Tenho seu endereço secreto e a freqüento amiúde na montanha ou beira-mar.

Um dia surpreendi-a numa pracinha medieval em Antibes, outro numa ruazinha barroca em Minas. Ela me foi servida em alguns museus, a reconheci em alguns objetos e se eu olhar bem firme nos olhos do semelhante, às vezes, a posso achar.

Aquela mulher ali na praia, por exemplo, não sabe que iluminou meu dia para sempre. Ao seu lado está sua amiga. Seu corpo é correto, sadio e humano. Mas não passa de uma sombra junto ao sol. Em vão agita os braços nas águas, fala alto. Não adianta. A bela mulher ao seu lado seqüestrou para sempre a atenção de todos nós.

É assim com o bailarino ou bailarina que irrompe em pleno palco. À passagem de seu corpo, os outros se obscurecem consentidamente. Há um pacto entre o belo e o menos belo. Um pacto entre o ser e o contemplar.

Mas a beleza não é só mulher. Ela é andrógina. Se assim não fosse, como explicar que também os homens se extasiassem ante outros homens? E há homens tão potentemente belos que podem submeter exércitos só com o olhar.

Porém, se a beleza é assim tão urgente e relevante, por que nos aparece tão raramente? Se é assim tão necessária e pungente, por que é de natureza tão avara? Se dela carecemos tanto, por que nos deixa nesse exílio e incompletude?

A ausência da beleza é uma condenação. É um lapso. É a não-história. Tudo que os homens fazem é por ela. Fazem excursões à Europa, vão à Grécia, constroem estradas, lançam passarelas entre as estrelas e inventaram a arte para apreendê-la. Tivéssemos que viver constantemente em contemplação do belo, no entanto, e ninguém trabalharia. Seríamos estátuas petrificadas na admiração. O mundo não careceria de mais nada. Viveríamos num orgasmo luminoso e contemplativo, e aqui se instalaria de vez a eternidade.

A ausência da beleza é quando o tempo se inaugura. E o tempo é falha e ruptura. A ausência de beleza é o erro, o pecado. A beleza é alegria e o avesso do que é triste.

A beleza é notícia de que Deus existe.

MEU AMIGO VIROU DEUS

Tenho vários conhecidos que se julgam Deus. Mas tenho um amigo que, por sua vez, tem outro amigo que virou Deus.

Isso não ocorre todos os dias. Por isso, tenho que narrar o que ouvi do embaixador Alberto da Costa e Silva, há dias, na Colômbia. Ele teve o privilégio de conviver com Deus antes e depois de se tornar Deus. Assim, ele conheceu as duas faces de Deus, ou melhor, a dupla face do homem.

A estória transcorre na África. E o Deus de que falo, antes de chegar à sua forma final e absoluta de aprimoramento, fazia doutorado na Inglaterra. Devo reconhecer que fazer doutorado leva muitas pessoas a se sentirem meio deusas, sobretudo quando o título lhes é conferido no exterior. Mas esse não foi exatamente o caso. O nosso personagem não se transformou em Deus por ter feito o doutorado. Ao contrário, por ser Ph.D. quase perdeu a oportunidade de ser Deus.

Ora se deu que o pré-Deus, tendo nascido na África, foi então estudar na Inglaterra. Ele pertencia a uma dessas famílias da elite de seu país. Devo reconhecer também que ser da elite já leva as pessoas a se pavonearem angelicais e a viverem nas nuvens. E esse foi o caminho natural que o amigo do meu amigo seguiu para se transformar em Deus.

O fato é que, tendo estudado na Inglaterra, o nosso personagem voltou ao seu país de origem. E ali ia administrando os negócios de sua família muito bem. Havia se casado, tinha os seus amigos e a vida ia normalmente até que ocorreu uma coisa imprevista. Morreu-lhe o pai. Isso é doloroso evidentemente, mas foi a partir daí que essa criatura de Deus se transformou no próprio. Segundo os hábitos de sua gente, deveria haver uma cerimônia para o enterro do pai. Mas surpreendentemente ninguém apareceu. O nosso (ainda) homem ficou ali perplexo e abandonado. Nenhum amigo. Nenhum parente. Ninguém.

Saiu perplexo a indagar o que havia ocorrido, por que aquele abandono coletivo? Fizeram-lhe então a revelação que ia mudar sua vida: ninguém fora à cerimônia de sepultamento de seu genitor porque ele, o filho, havia adiado e até então se recusado a cumprir os rituais da tribo para se transformar em Deus. Exatamente. Ele havia sido escolhido como o sucessor, o herdeiro, aquele que conduziria espiritualmente o povo e, no entanto, relegara as tradições.

Nosso personagem encontrou-se numa situação de divina perplexidade. Não é todos os dias que nos convidam a ser Deus. Conhecemos entre os nossos amigos muitos que têm aquela síndrome que Jung chamava de "ego inflado", ou seja, o sujeito se crê realmente o maior, divino, maravilhoso. Mas ser convidado e, mais do que isto, instado pela multidão a ser Deus é raro, raríssimo.

No Brasil, alguém pode alegar que isso é comum. Volta e meia, no Maracanã, a galera começa a cantar em coro: "Hei, hei, hei (Pelé, Zico, ou sei eu lá quem) é o nosso rei." Mas é diferente. Basta que um deles faça uma bobagem no campo e vira um judas malhado, sem qualquer aleluia.

Portanto, reconhecemos que é perturbador ser convidado para ser Deus. Se a gente se alvoroça todo quando vira síndico de um prédio ou chefe de seção, imagine uma convocatória dessas.

O fato é que ninguém é de ferro. O ser humano tem seus limites, e o amigo do meu amigo aceitou virar Deus.

Mas antes teve que comunicar à família. Porque, imaginem, a mulher estava acostumada a deitar-se com seu homem e, de repente, acorda com um Deus nos braços. E os filhos? E toda a parentela? Portanto, era necessário acertar com a família os detalhes da futura vida divina.

Mesmo porque a metamorfose começaria já por um detalhe. Deus teria que ter várias mulheres, portanto, fazia-se urgente um concílio familiar para se estudar o papel da mulher original e das outras no reino celeste.

E tinha mais: Deus, antes de ser Deus, tinha que se submeter a várias provas e rituais. O que, de resto, julgo ser justo, pois se exigem concurso para assistente administrativo e para soldado passar a cabo, por que não para ser Deus?

Depois dos rituais de iniciação, já como Deus, o nosso herói trocou de roupas e passou a ser uma espécie de Gandhi, com um cajado e trajes típicos. Andava sempre com um couro de bode, que era o único objeto sobre o qual, segundo a tradição, poderia assentar seu divino traseiro. E tinha uma outra coisa: passou a andar sempre acompanhado de um ajudante chamado "o língua", pois, sendo Deus, não se dirigia mais aos mortais. Falava simplesmente, e "o língua" repetia o que dizia aos demais.

No entanto, sendo Deus, também tocava os negócios da família, e volta e meia se reunia com os antigos amigos ocidentais para jogar pôquer. Um dia alguém lhe perguntou se era difícil ser Deus. E ele explicou que não, que o pior era, dentro da dramatização real, ter que ouvir várias vezes por dia um coro que o acompanhava sempre dizendo que era "perfeito", "divino", "inalcançável". Às vezes se cansava disso, achava um porre.

Nesse ponto não pude deixar de pensar nos homens do coro. Imaginei um ou outro dizendo à sua mulher antes de ir para o trabalho de louvação: "Lá vou eu, repetir para aquele chato que ele é perfeito, divino, inalcançável. E o pior, mulher, é que acho que ele está começando a acreditar nisso."

IMPROVISO PARA MOZART

"Mozart ouvia Mozart o tempo todo", disse minha amiga Sofia.

Aparentemente isso poderia ser uma tautologia. Tautologia, o que é? Uma repetição desnecessária, óbvia. Mas há certas coisas que só a tautologia inteligente pode dizer. De tudo o que Gertrud Stein fez só ficou essa frase tautológica: "Uma rosa é uma rosa, é uma rosa." Por isso, tem razão o mestre zen invocado por Marcelo Garcia diante de uma flor: "Chega de analogias." Assim como uma rosa é igual a si mesma e nada mais, Mozart ouvia Mozart o tempo todo.

Alguém pode aduzir: mas da Vinci pintava da Vinci o tempo todo. Mas Picasso nem sempre pintou Picasso. O próprio Van Gogh começou não pintando Van Gogh, andou copiando as gravuras japonesas, fazendo aqueles quadros realistas de comedores de batata etc. E no dia em que Van Gogh começou a pintar Van Gogh, Van Gogh não suportou, enlouqueceu. Van Gogh era demais para Van Gogh.

Talvez Mozart foi demais para Mozart, por isto ele também morreu cedo. Mas o fato de que não precisava ir ao concerto para ouvir Mozart redobra minha inveja. Nós outros, pobres mortais, o que fazemos? Queremos ouvir Mozart, temos que ligar o rádio, colocar o som a funcionar, tentar assoviar uma ária dele. Ou, então, dizemos: "Ontem fui ao Municipal assistir ao *Don Giovanni* de Mozart."

Mas com Mozart a regência do verbo assistir é diferente. Nele a música se fez carne, portanto, nele o verbo tem a acepção de morar, residir, e então se pode dizer: o *Don Giovanni* assiste em Mozart.

Por isso, a frase de Sofia me fez, de repente, pensar que Mozart acordava de manhã ouvindo Mozart. E quando caminhava por aquelas ruas de Salzburg era Mozart que ouvia. E quando amava e desamava, e até mesmo quando Salieri o invejava, era a música de Mozart que o salvava.

Um pássaro está pousado num galho. Direi: aquele pássaro não voa?

O pássaro quando é pássaro, mesmo parado, voa. É como a pedra, que mesmo dentro do rio é pedra. É como a flor, que sendo flor esgota em si toda a possibilidade de não ser flor.

Por isso não me lembro de quando ouvi Mozart pela primeira vez. Acho que sempre o re-ouvi. Sempre o reconheci, porque Mozart quando surgiu para Mozart, Mozart já o estava aguardando.

Este ano todo mundo está homenageando o compositor, que morreu há duzentos anos. Estamos ouvindo Mozart mais do que nunca. Mas nunca o ouviremos tanto quanto ele próprio o fez.

Deveria, talvez, fazer-lhe um poema, forma mais autêntica de dizer as coisas; nem que fosse um daqueles poeminhas que Manuel Bandeira fazia para Schumann, ou Murilo Mendes para o próprio Mozart. Já fui uma vez a Salzburg. Andei por aquelas ruas, entrei na casa em que Mozart vivia, vi ali cenários de óperas e coisas que lembram o prodígio. Andei por aquelas praças e jardins, fui lá em cima naquele castelo, de onde se vê toda a cidade. Dentro de mim Mozart soava o tempo todo como se fora de mim Mozart também soasse.

Não há originalidade alguma nisso. Gostar de Mozart não é virtude. Pecado é não gostar. De Bach, pode-se gostar ou não. Ele é cerebral, matemático demais para certos espíritos, ainda que fizesse a mais musical das matemáticas puras. De Beethoven pode-se apreciar ou não essa ou aquela peça, achar que havia um tormentoso barulho no seu desvario musical, que por isto tinha lá suas razões para ficar surdo.

Mas desgostar de Mozart, quem há de?

Mozart tem essa vantagem: é generoso. Alguém pode dizer, isto não é atributo necessário ao artista, é característica de fundações de caridade.

Não é verdade. A arte que não é generosa é uma arte imperfeita.

Mozart soa para os outros. Alguns músicos soam para dentro, egoístas. Mozart soa para fora, nele a música entra e sai naturalmente, como a respiração.

Há artistas assim: a gente fica diante deles ou de sua obra, e diz: como é inteligente, como é hábil. Mas o artista nem a obra dão nada para a gente. Só tomam.

Outros, como Mozart, chegam se expondo, se oferecendo como uma casa, uma paisagem. É a arte para fora, generosa.

Mozart ouvia Mozart o tempo todo.

O poeta é poeta quando não está escrevendo?

O pintor é pintor quando não está pintando?

O professor é professor quando não está ensinando?

Mas quando é que o professor não está ensinando?

Mas quando é que o pintor não está pintando?

Mas quando é que o poeta não está poetando?

Mas quando é que Mozart não está mozartiando?

Como um rio que flui e é rio porque flui suas águas, assim Mozart fluía seus acordes.

Outro dia estava vendo o belíssimo orquidário do João Carlos de Almeida Braga, lá em Petrópolis. Era beleza demais. E pensei: Mozart tinha orquídeas na alma.

Mas se uma orquídea é uma orquídea, é uma orquídea, então Mozart é Mozart, é Mozart. Portanto, tem razão Marcelo Garcia ao recitar o mestre zen diante das flores: "Chega de analogias."

Mozart ouvia Mozart o tempo todo, todo dia.

ENTRE OUTRAS PALAVRAS, O AMOR

Quem sabe o significado das palavras vive mais densa e duplamente. Vive quando vive e vive quando palavreia.

E se amar é bom, saber o sentido da palavra amor é amar mais finamente. Por isso dou um doce a quem me disser de onde vem a palavra amor.

Já sei, você vai pensar: vem do latim *amorem*, significando afeição, simpatia e carinho. Ou, então, vai dizer: não me interessa. O que conta é amar. Amar como minha amiga, com um sorriso incontrolável sobre o mundo, tendo que comprar leques para disfarçar a ostensiva alegria.

Eu morro de inveja de quem sabe o conteúdo das palavras. Sou como a Macabea de *A hora da estrela*, quero saber o que está dentro dos nomes. Os displicentes usam as palavras inflacionariamente. E isso é mau, atrapalha a economia verbal e existencial. Os lingüistas dizem que a palavra é uma "moeda" comum. Saber usar as palavras, portanto, pode levar alguém a ficar rico. Rico, pelo menos, de significados.

Tenho uns amigos assim como Antônio Houaiss, Aurélio Buarque e Junito Brandão. A gente lhes serve uma palavra no prato do instante. Eles a tomam na boca e começam a degustá-la. Parecem provadores de vinho: as sílabas percorrem os cantos da boca, sobem ao palato e eles sentem o aroma e a densidade do vocábulo. E assim como os bons degustadores podem dizer a safra e a região de um vinho, eles nos dizem a raiz do vocábulo e suas transformações.

Um dia, por exemplo, aprendi que "trabalho" vem de *tripalium*, instrumento de tortura composto de três paus, uma espécie de cruz. Passei a entender tudo, já haviam me ensinado que "negócio" era a "negação de ócio" e, enfim, descobri que "escravo" vem de "eslavo", desde quando Carlos Magno subjugou muitos "eslavos".

Essas coisas os leitores mais espertos já sabiam. Mas talvez não sabiam que a palavra "segredo" tem uma origem escusa. No francês surgiu referindo-se ao quarto secreto (*chambra segreta*) onde as pessoas iam aliviar seus intestinos e bexigas. Daí talvez essa sensação de que certos segredos não cheiram bem aos outros, devendo estar mesmo guardados separadamente.

E "bordel"? Está ligado a "borda", limite da cidade, espaço fora da comunidade onde o sexo enfim é liberado. Se aplicarmos isso a "motel", teremos apenas acrescentado o automóvel para que os amantes se liberem além dos limites permitidos pela cidade convencional.

Até pouco tempo não sabia que "absurdo" significa "dissonante". Absurdo também é o que não "ressoa", e é daí que vem "surdo". Não quero parecer "erudito", mas essa palavra vem de "erudire" (*ex* e *rudis*) que significa "desbastar", cortar o que é "rude". Um erudito, portanto, deveria ser sempre um sujeito finíssimo.

Muitos sabem que "desastrado" qualifica aquele que está sob os auspícios de um "mau astro". Mas poucos se dão conta de que "cretino" vem da mesma raiz de "cristão". O cristão era aquele que assumia a "loucura" do evangelho fugindo às normas do mundo convencional.

E o amor, que deflagrou essa crônica? Aprendo em Bent Paroli que a raiz da palavra amor é egípcia e não latina. Também nada tem a ver com o "ama" grego, embora este signifique "juntos". Os gregos também falam de "eros", mas a raiz dessa palavra indica "atividade".

O vocabulário egípcio traz a raiz MR, MRJ. Parece estranho. Os egípcios não usavam vogal. Mas eles escreviam assim e na hora de pronunciar, a vogal aparecia. E o fato é que MR se pronunciava "amer", "amor". Escrita com hieróglifos a palavra MR era representada por uma espécie de pá ou cavadeira de camponês abrindo a terra. Há um sentido agrário de fecundação cósmica. Amor, então, era como um ato de cultivar a terra.

Não parece, portanto, que seja um ato aleatório. Uma semente jogada ao acaso pode até brotar. É forte a vontade de vida e fértil no imaginário de cada um. Mas o ato de amar, mais produtivo e fecundante, implica a ação, o investimento, o semear cavando e movendo a terra. E para grafar a palavra amor, os egípcios usavam seu alfabeto especial e não o popular, porque sabiam também que o amor é coisa para os iniciados.

RESISTIR ATRAVÉS DA BELEZA

*H*á uma hora em que você se diz: estou cansado, exausto dessas misérias e conflitos cotidianos, quero paz! Ou melhor, quero livrar-me disso tudo e dedicar-me à beleza. A vontade, então, é dizer: vou-me embora para Siena ou para Pasárgada, que lá não apenas sou amigo do rei, mas lá tem beleza à vontade para confortar nossos olhos.

Ficar em pura contemplação daqueles mestres renascentistas em Florença ou Veneza ou, então, internar-se na sala dos pintores impressionistas do Metropolitan de Nova York ou do Louvre. Ficar ali olhando aquele mundo de cores onde o drama humano se retempera na arte. Entendo o que Fernando Henrique deve ter sentido lá no Hermitage em São Petersburgo desfilando demoradamente diante daqueles quadros famosos. Recreie sua alma, presidente, armazene energia pelos museus do mundo, porque aqui a coisa continua feroz e suja.

Drummond dizia que queria fazer um soneto duro, mas tão duro que não desse prazer a ninguém. Era meio sistemático o poeta. Não sei que prazer ele ia sentir nisso. Quanto a mim, eu queria agora, neste momento, era fazer uma crônica que abrisse uma clareira de alegria na minha e na sua alma, em nossas alminhas tão maltratadas pela feiúra moral e física do mundo.

Como está feio esse mundo ao nosso redor, especialmente nesta cidade que doloridamente amamos. Por isso, queria uma crônica que irrompesse luminosa, ainda que por dez minutos de leitura em sua vida. Dez minutos de beleza por dia já nos salvariam. Dizem os especialistas que o riso é necessário, que, se todos dessem pelo menos uma boa gargalhada por dia, teriam melhor saúde. Pois que tratem de medir o efeito da beleza sobre a saúde das pessoas.

Agora, por exemplo, interrompi a escrita desta crônica. Precisava me abastecer de beleza para poder ir enfrentando o horrendo, então procurei aquele concerto para violino de Mendelssohn, e me pus a ouvi-lo por alguns minutos. Se isso fosse pouco, ia me levantar e contemplar um inseto qualquer no jardim a alimentar-me da pequena beleza que habita na sua vida mínima.

Temos de nos expor à beleza, procurá-la, colocá-la em nossas vidas, porque eles estão querendo o contrário. Por exemplo, eles estão tentando borrar o nosso cotidiano. Começam com as notícias ao amanhecer e encerram com as notícias ao anoitecer. Uma tragédia atrás de outra, querendo nos seqüestrar para o horror.

Se eu dissesse que o crepúsculo está coalhado de sangue, iam dizer que isto é uma banalidade, que só um mau escritor assim escreve. E, no entanto, o crepúsculo está coalhado de sangue. Não só o crepúsculo. Também a alvorada. Outro lugar-comum que Shakespeare e Lorca, para não falar em Paulo Mendes Campos e Vinícius de Moraes, revisitaram com força denunciadora.

Outro dia estava falando para os estudantes da Universidade do Vale do Itajaí. Queriam saber tudo. E a gente que não é mais jovem responde, não porque saiba, mas porque aprendeu a responder o irrespondível. E indagavam, por exemplo, sobre esse exercício de escrever crônicas para o jornal, queriam saber de onde vinha a poesia, como é que surge essa coisa chamada inspiração.

A crônica tem de ser achada no interior do cronista, dizia eu. Não adianta querer escrever sobre o que não se sente, desconversar, tapear. E certos temas se impõem. Eu, por exemplo, queria era compor aqui aquela crônica que fosse um rasgo de beleza nessa atmosfera de compacto medo em que vivemos. Porque, como lhes disse, eles estão tentando borrar nosso cotidiano. Não bastassem a inveja, a traição, a maledicência que se infiltram nas conversas telefônicas, nos papéis do escritório e na mesa de trabalho, eles, os cavaleiros dos caos, estão jogando cadáveres nas portas das delegacias, que já constroem muros e guaritas para se defender como se fossem postos avançados no deserto à espera da invasão dos tártaros.

Estão tentando nos afastar da beleza e, para isto, nos assaltam nas esquinas, matam um de nós de quando em quando ao mesmo tempo em que os presídios e reformatórios se incendeiam enlouquecidos. Enfeiam tudo, corrompem as urnas e os tribunais.

Estão querendo nos aprisionar na feiúra e deixam ou estimulam que as favelas cresçam como chagas, como câncer sobre a pele da cidade e não sabem o que fazer com a mendicância exploratória que germina nos sinais de trânsito e nas esquinas.

Há que tornar o dia mais harmônico em meio ao caos. A começar pela própria roupa e a mesa de trabalho. Introduzir mais harmonia nos gestos, e, como um japonês com o seu *ikebana*, procurar a harmonia nas flores da sala, ritualizar até mesmo na maneira de dispor a comida no prato.

A beleza alimenta.

Há que buscar a beleza onde ela pode e deve estar, que a beleza talvez seja a última forma de resistência, quando os que deviam punir não punem, quando os que deviam governar não governam.

Além do mais, conviver com a beleza de ontem e hoje é não só uma maneira de limpar o cotidiano, mas uma forma de habitar a eternidade.

TER UM ANO PELA FRENTE

Ter um ano inteiro pela frente, inteirinho, novinho em folha, é como ter um caderno branco, onde se vai caligrafar. Mas não é só coisa escolar, é tarefa de homem feito ou, se quiserem, de homem duplo, homem-menino, homem-peixe, homem-ave, que abre no azul as asas como o peixe faz sua composição na linha-d'água do mar.

Aliás, se a metáfora é recomeço e a ordem é recomeçar, mais que ovo na sua brancura tenra, o Ano-Novo, não é só clara e gema, é hora de navegar. É como Colombo, quando, cansado de estar contido num velho continente, desdobrou seus mapas sobre a mesa e inventou o mar. Por isso, pode-se dizer que entrar nos portos de janeiro é coisa de navegador que parte para o mar alto sem medo de marear.

Mas já que a imagem da água não se esgota, ela ainda está a ondear, posso dizer que entre o trampolim de dezembro e a piscina de janeiro a esperar, tudo lembra o gesto do mergulhador a se atirar. Embora haja os aqualoucos, não se deve despencar lá de cima, aos uivos, destrambelhado, como se nos empurrassem súbito, sem avisar. Entrar nas águas de janeiro não é bem um salto às cegas, é lição de penetrar. Pode até, ao contrário, ser um instante ornamental, um risco estético no espaço a encantar, porque este salto é sempre coisa pública, e o que importa é vir à tona, e a piscina, que é travessia, atravessar.

Ter um ano pela frente não é só coisa que se dá no azul. É jornada de agricultor com o campo pela frente e esse desejo verde de semear. Por onde ele passa começa algo a florescer. E assim se pode dizer que dezembro é o mês onde se avalia quem souber arar. Mas posso também dizer que há muito de culinária no gesto de recomeçar. Ali na mesa ou calendário, estão os meses e as panelas, as semanas e os produtos, os dias e os temperos, aguardando que, no fogo do instante, cada um saiba regular a chama, testar o sabor daquilo que vai servir aos outros e a si mesmo alimentar.

Se eu dissesse que janeiro é mês de quem quer pintar, significaria que é quando o pintor recolhe as tintas do crepúsculo do que em dezembro era sol e se afogou no mar. Janeiro, então, é moldura, a tela branca provoca o pincel, como o arquiteto sabe erguer na folha branca o espaço onde morar.

Entrar em janeiro, por exemplo, não é coisa de preguiçoso ou desatento obrando sempre modos de enganar. Entrar em janeiro é coisa de quem avança, quem quer descortinar. Diria que é coisa de milionário, mais que operário, porque em janeiro há uma reserva imensa onde sacar. É coisa para investidor. Mas não esse investidor barato que vive da usura das horas. Falo do investidor que investe seu corpo e sonhos, como se entrar em janeiro fosse, antes de tudo, um ato de amar.

Ter um ano inteiro pela frente é o sonho de todo legislador. É como se houvesse um país novo a inaugurar e se pudesse refazer a lei geral e a particular, decretar as manhãs de azul de abril, estabelecer parágrafos para a primavera não findar e poder, em certos meses, revogar o que de escuro e insidioso quer na lei dos dias se infiltrar.

Ter um ano inteiro pela frente, eu lhes digo, é coisa para o melhor amante. É coisa para aquele que de novo se fez macio e doce, como se pela primeira vez fosse, de fato, amar. Olha-se o corpo da amada pela visão de seus janeiros. Os fevereiros de seus olhos conclamam a boca, que se abre em dedos e março já com a urgência de abril. As mãos vão deslizando sobre as colinas de maio. Em junho começam a cair as roupas pelo chão, mas revogando o inverno, entre perfumes e hálitos de julho, beija-se o seio de agosto, penetra-se a primavera de setembro e um suspiro rubro arfa em pleno outubro, escala a garganta de novembro num gemido e se desmancha em gozo num lençol de mel quando é dezembro.

Entrar em janeiro é coisa para quem cansou de rastejar. Por isso não é mês de répteis, mas de quem sabe saltar caprino, capricórnio como quem quer voar. É coisa de quem tem asas. Por isso, em janeiro a lagarta se esforça, ela sabe que é hora de se metamorfosear. Janeiro, a rigor, é quando as peles rotas de dezembro se transformam em duplas asas para quem quer recomeçar.

ESTÁTUA AOS NAMORADOS DE OUTRORA

Vocês que têm 15 ou 20 anos e que estão namorando e que se pegam e se beijam e se abraçam e fazem carinhos um no outro publicamente, cumprindo o ritual de acasalamento, deveriam parar um instante, organizar-se politicamente e propor que se erigisse uma estátua a seus pais e avós, como mártires na longa história da liberação erótica e amorosa. Vocês não têm idéia de como esse negócio de namoro já foi uma coisa complicada.

Alguém vai dizer: “Era bem mais romântico!”, e eu vou retrucar que era inutilmente complicado e muito mais neurótico.

Hoje é diferente. O jovem de 15 anos chega em casa e traz a namorada para dormir com ele. Entra pela sala, cumprimenta os pais e a família, troca uma ou outra palavra e acabam se enfiando no quarto onde conversam, vêem televisão e passam a noite juntos.

Não, não foram ao motel. Para que gastar dinheiro nisso se em casa é mais seguro e mais tranqüilo fazer amor com beneplácito dos pais?

No máximo, o pai ou a mãe, às vezes os dois juntos, indaga se os pombinhos praticam o uso da camisinha ou da pílula. E, se pintar uma gravidez por descuido, a família vai acabar conversando com o casal e pode-se, num fórum familiar, decidir pelo aborto. Um aborto com o mínimo de trauma, sem que a adolescente tenha de recorrer a clínicas ou salas infectas de subúrbios, com risco de vida.

Por outro lado, se a menina quiser partir para aquela de mãe solteira, a família ainda é capaz de ajudá-la a sustentar-se e ao bebê até que ela possa terminar seus cursos e arranjar um emprego.

Há uns trinta anos isso era impensável. Tudo era um drama e às vezes uma tragédia. Recapitulemos como era para que os jovens hoje pensem naquela estátua em homenagem aos seus pais e avós intitulada Aos Heróicos Amantes de Outrora.

Primeiro, aquele era um mundo em que os filhos se dirigiam aos pais chamando-os de "senhor" e "senhora". Palavrão em casa, nem pensar. E as gírias eram comedidas, reguladas. E, como a virgindade era uma norma, masturbava-se. Masturbava-se muito naquele tempo. Não como hoje, em que os manuais e as clínicas amorosas ensinam a masturbação (sem pecado), como forma de aproximação e entrosamento. O que os confessionários dos colégios católicos ouviam era uma interminável história disso que se chamava de "vício solitário".

Os jovens não tinham ocupado os espaços sociais e, portanto, a noite para eles terminava às dez horas. Homem começava a ser homem, ter mais liberdade, só depois dos 18 anos, e a iniciação sexual era vergonhosa e desajeitadamente feita com alguma serviçal ou prostituta. O rapaz se esfregava na namorada pelos portões ou jardins e depois ia para uma coisa que se conhecia por nomes esquisitos – "prostíbulos" e "bordel". A moça, por sua vez, ardia seus desejos insones. As que ousavam reivindicar seus direitos ao prazer, moderníssimas, poderiam terminar "malfaladas". E os homens, educados para a calhordice, quando reunidos na confraria dos machos, revelavam quais as meninas que "davam" e contavam suas safadezas.

Tinha gente que, já noiva, namorava na sala (acompanhada) e quando ia até o portão era vigiada, porque de um beijo na boca, pensavam alguns pais, poderia decorrer o fim súbito da virgindade. Então, quem tinha carro era felizardo, e quem ostentava uma *garçonnière* era potentado, que às vezes partilhava com amigos a chave. Mas mesmo assim era complicado, porque havia o porteiro sempre impedindo a entrada de moças desacompanhadas. Como não havia motel, os mais ousados resolviam se encontrar em hotéis mesmo. E aí começava o planejamento, como se fosse uma operação de guerra. Primeiro, era preciso inventar desculpa para afastar-se da família. Depois, tinha-se de arrumar uma mala qualquer, encher de jornais, comprar até mesmo aliança nas Lojas Americanas, para que o porteiro do hotel não suspeitasse de nada. E suspeitavam sempre.

Vejam bem que não estou me referindo a uma época muito distante. Não estou falando do fim do século XIX, quando ainda havia códigos fixos de aproximação entre os amantes e eles primeiro passavam um tempo se flertando, emitindo sinais com lenços, se mandando bilhetes e cartas, ou quando a mulher ficava debruçada à tardinha na janela à espera do príncipe que passasse a cavalo. Estou falando de ontem. Daquilo que seus pais viveram.

E, se querem saber mais, porque numa crônica só não cabe e cada um tem histórias únicas e engraçadíssimas, façam o seguinte, meus jovens amigos e amantes: antes de ir para o quarto com sua gata ou gato, dêem uma paradinha na sala e perguntem aos coroas como era namorar no tempo deles. Perguntem. Garanto que vão todos se divertir muito.

Claro, é muito engraçado hoje, a distância. E, depois de ouvir, não se esqueçam: mobilizem as ONGs e o prefeito da sua cidade e ergam aquela estátua. Porque nós, os namorados de antigamente, a merecemos.

O APOCALIPSE EM GOIÂNIA

*E*is que se abriu o primeiro dos sete selos e eu vi surgir o primeiro dos sete chifres da besta do apocalipse.

E eis que eu vi surgir no planalto central um balé fantástico no quintal atômico do Terceiro Mundo. Dele faziam parte: o antebraço direito de Roberto Santos Alves, as bonecas radioativas da menina Leide das Neves Ferreira, cinco porcos, vinte galinhas e patos, guindastes hidráulicos, caminhões funéreos, o cachorro "Sheik" e os coveiros.

Era o enterro das vítimas do césio 137, em Goiânia, e eis o que ocorria:

O antebraço de Roberto

O antebraço de Roberto passeia longe de seu corpo em carros blindados e dá banana para as autoridades.

O antebraço de Roberto floresce do fundo do sepulcro de chumbo como cogumelo trágico-atômico.

O antebraço de Roberto nos acena do crepúsculo como Prometeu, seus raios de fogo e desesperança.

O antebraço de Roberto dedilha mensagens nos telégrafos da eternidade.

O antebraço de Roberto se ergue no coliseu atômico e diz: "Os que já morreram vos saúdam."

As bonecas radioativas

As bonecas radioativas adormecem em suas casinhas de chumbo.

As bonecas radioativas acenam para Alice e Leide do fundo do buraco negro.

As bonecas radioativas servem comidinhas de urânio em panelinhas de nêutron.

As bonecas radioativas convidam outras meninas para trocar roupinhas de berílio e tório.

As bonecas radioativas dançam enlouquecidas numa loja de brinquedos magnéticos.

Os cinco porcos

Os cinco porcos metem o focinho no cocho procurando mais farelos de césio.

Os cinco porcos grunhem de prazer mascando isótopos e dormindo a sesta.

Os cinco porcos se refestelam na banha de sua obesa impunidade.

Os cinco porcos são quatro cavaleiros apocalípticos emporcalhando o agora.

As vinte galinhas e patos

As vinte galinhas e patos airosos soltam penas na centrifugadora dos quintais.

As vinte galinhas e patos botam ovos radioativos sob as cercas do jamais.

As vinte galinhas e patos cantam “Dies Irae” nos poleiros do entardecer.

As vinte galinhas e patos bicam o estrôncio que vermina nos quintais.

As vinte galinhas e patos chegam à nossa mesa ensopados de alarme e medo.

Guindastes hidráulicos

Guindastes hidráulicos cavam sepulturas bem profundas para nosso espanto.

Guindastes hidráulicos estão eretos apesar do peso da culpa.

Guindastes hidráulicos nos afogam num lago de chumbo subterrâneo.

Guindastes hidráulicos são dinossauros de nossa era atômica-eletrônica.

Guindastes hidráulicos são fantasmas bailarinos no horizonte de urânio.

O cachorro radioativo

O cachorro radioativo ladra seu desprezo pela humanidade.

O cachorro radioativo rói o osso da agonia no canil do acaso.

O cachorro radioativo está engatado copulando seu orgasmo atômico.

O cachorro radioativo é o guardião da casa já contaminada.

O cachorro radioativo crava a raiva de seus dentes na perna do anoitecer.

Caminhões funéreos

Caminhões funéreos rodam pneus de cobalto em pistas de sobressalto.

Caminhões funéreos despejam lixo atômico nos jardins de nossas casas.

Caminhões funéreos fazem curvas cuidadosas na madrugada ionizada.

Caminhões funéreos transportam nossos remorsos nas rodovias do espanto.

Caminhões funéreos despejam sua carga nas valas de nosso assombro.

Os coveiros

Os coveiros nunca viram caixões tão cimentados de alarme.

Os coveiros nunca ergueram mortos tão pesados na cova do pasmo.

Os coveiros nunca cavaram tão fundo o presente acidentado.

Os coveiros nunca enterraram tão escuro o nosso mais escuso pecado.

Os coveiros nunca cimentaram tão hermeticamente o nosso futuro e passado.

MINHA PRIMEIRA DITADURA

Vocês que emergirão do dilúvio em que afundamos pensem quando falarem de nossas fraquezas também nos tempos negros de que escaparam.
Bertolt Brecht

Eu não pretendia ter nascido numa ditadura, mas foi o que me serviram naquele ano de 1937. Não acredito que mãe nenhuma diga: vou fazer um filho para nascer numa ditadura. Aliás, minto. Naqueles tempos as mães geravam a serviço do Estado. Era assim na Alemanha, Itália e outros países: o Estado procriando crianças para seus exércitos imperiais. Quanto à minha mãe, garanto, era inocente, ela não havia sequer me programado. Mas a ditadura de Getúlio estava programada desde 1930 ou desde 1935, conforme os manuais de história.

O fato é que foram logo vestindo uniformes no meu corpo. Acho que minhas fraldas eram verde-oliva, porque as primeiras roupas das crianças eram uniformes militares. Por exemplo, marinheiro, o máximo que uma criança poderia aspirar no aniversário ou dia de tirar retrato. Tinha um irmão com uma roupa dessas. Me matava de inveja. Eu ia de azul e branco mesmo. Mas, em compensação, tinha sete anos e já marchava para o ditador.

Não só se vestia muito uniforme. Marchava-se muito naqueles dias. E nem por isso o país era mais feliz. Mas como diziam os mais velhos: "as coisas marchavam". Marchava-se a propósito de tudo. Tenho impressão de que se marchava o ano inteiro e o *7 de setembro* era mais importante que o Natal e o carnaval. Na minha cidade a disputa dos colégios desfilando embandeirados, com alas de bicicletas, atletas e tambores, era a coisa mais séria do mundo.

Não sabia que estava imitando a juventude fascista italiana, que imitava a juventude nazista hitleriana. Aqui os meninos usavam fardas infantis e chamavam-se *lobinhos*, e na Itália eram *figli della lupa* (filhos de loba): a loba imperial romana. Um irmão meu foi ser *lobinho*. Um primo fez o Tiro de Guerra, foi fazer a guerra na Itália e voltou esquisito, com uma coisa que se comentava pelos cantos: *neurose de guerra*.

Eu não entendia que um herói tivesse neurose de guerra.

Não só se usava uniforme e se marchava muito. Cantava-se muito naqueles dias. Hinos de exaltação ao ditador, é claro. Lembro-me de uma manhã ensolarada no grupo escolar em que a professora ao piano nos fazia cantar essa frase lapidar: "Getúlio Vargas, o gênio varonil". Vejam, um menino que teve que cantar isso na sua infância está perdido para sempre. O menino e o país.

Pois bem. Vamos dar um corte cinematográfico: 60 anos depois.

Ligo ocasionalmente a TV, onde exibem o documentário *Os anos 30*. A filha adolescente passa pela sala e diz: "Deixa que eu quero ver". Era hora do *Jornal Bandeirantes* e do *Jornal Nacional*, mas vá lá, tudo pela cultura das filhas. E na telinha começam a mostrar a ascensão de Hitler: braços e bigode escarrando discursos; a multidão (loba romana) uivando diante da pantomima de Mussolini. A Alemanha anexa a Áustria. A Itália anexa a Etiópia. O Brasil anexa o seu próprio povo.

Cenas de Mussolini bombardeando com armas químicas as tribos da Etiópia. O coração de minha mulher aos pulos. Foi ali que ela nasceu. Naquela hora, naquela paisagem. Quando serenaram as bombas, seu pai, Manfredo Colasanti, o doce *Vovô Nicolau* das novelas brasileiras, então um autêntico *camisa negra do Duce*, instalara-se militarmente nos territórios do Leão de Judá.

A História morta na TV. A História viva na sala diante dos pais e da filha. Na Itália a mãe-menina marchando-cantando: "Bataglioni del Duce/ bataglioni della morte per la vita." No Brasil o pai-menino marchando-cantando: "Getúlio Vargas, o gênio varonil", mais a *Canção do expedicionário* e outras tolices.

– Qual a diferença entre nazismo e fascismo? –, pergunta a filha sem saber onde termina o documentário na TV e onde começa a biografia de seus pais. Nossa triste sabedoria informa: nazismo vem de *Nazi(ionalsozialist)* = nacional-socialismo (Hitler). Fascismo (Mussolini) vem de *fascio* = feixe de varas amarradas. Amarradas por um poder central. E damos várias explicações. Tristes explicações, em que não faltam as ditaduras de Franco e Salazar, referências ao império japonês e a "ditadura do proletariado" do não menos lamentável Stalin.

Novo corte. Toca o telefone e o Mário Pontes, aqui do *Caderno B*, me informa que preparam um número do *BE* sobre o Estado Novo e que eu poderia escrever algo. Claro, vou respondendo e pensando se teria alguma coisa além do que está em poemas como "O Burro, o menino e o Estado Novo" e "A catedral de Colônia". Ponho-me a reler livros vários sobre o período: Edgard Carone, Marques Rebelo, Jorge Amado, Graciliano Ramos, Monteiro Lobato, Hélio Silva e outros. E uma sensação me vem: meu Deus! Como eram pequenos os homens que governavam este país. Que história menor e mesquinha. Ponho-me a pensar na crônica que vou escrever e então anoto a primeira frase:

Eu não pretendia ter nascido numa ditadura, mas foi o que me serviram naquele ano de 1937.

MÔNICA, AQUELA QUE VAI MORRER

Quando Mônica saiu de casa naquele dia não sabia que ia morrer, jogada de cima de um prédio por um anormal que, paradoxalmente, era modelo fotográfico. O assassino, sim, este sabia que mais cedo ou mais tarde, se possível naquela noite, chegaria ao extremo de si mesmo. O assassino sabe. A vítima, como uma gazela solta na floresta, mal suspeita. Se, mesmo para o condenado à morte, a morte é uma hipótese, para uma adolescente condenada à vida a morte é um problema alheio.

Por isso, Mônica não sabe que vai morrer desesperada, acuada, livrando-se de socos e facadas. Também seus pais não sabem que poucas horas a separam da morte. Quando há anos trocavam suas fraldas ou penteavam seus cabelos, não viam nenhum sintoma. Por isso ela ia ao colégio de carro ou de ônibus e nenhuma professora olhando seu rosto viu a inscrição de que aquela era uma menina que ia ser assassinada. Acho que foi sempre assim. Mesmo em Auschwitz, embora já como estigma em suas roupas e corpos, os judeus ainda achavam que a morte seria adiada.

Portanto, era normal que seus colegas, que iam com ela à praia e com ela mergulhavam, bebiam refrigerante, comiam sanduíche natural ou se encontravam na pizzaria, também não desconfiassem que um dia ela subiria num certo edifício e de lá seria jogada para as manchetes dos jornais. Se alguém lhe fez uma tatuagem no corpo, no ombro ou na bundinha, não podia supor que estava já trazendo uma flor ao seu funeral ou que estava marcando um corpo, antecipando-se a marcas mais fatais.

O que já experimentou da vida essa menina que vai ser assassinada hoje à noite, sem que mesmo os vizinhos do criminoso queiram ver o sangue empoçado no *playground*? O que conhece ela já da covardia, medo e traição? Morrerá sem ter conhecido o mais denso e agudo prazer da carne, que só a maturidade traz, quando o amor é ao mesmo tempo lã e mel?

Como proteger quem vai ser assassinado esta noite se estamos tão desatentos contando juros e mal sentindo que milhares de células nossas acabam de morrer nesta fração de segundo? Os que assinaram um pacto com a vida continuam achando que a morte é um filme cuja exibição só interessa a quem não quer viver. Mas a morte vem às ruas, tira uma adolescente de casa, a faz subir num elevador e, de repente, a serve sem remorsos às notícias nos jornais de amanhã.

Não é só aqui. Também na China as mulheres caíam de cima das casas fugindo da violência do casamento e dos amantes intempestivos. Foi isso que levou Mao Tsé-tung em 1917 a escrever vários artigos denunciando a opressão masculina. Não é só na China. Há 25 anos, em Belo Horizonte, começaram a cair mulheres de cima de todos os prédios. Eu, jovem poeta, não entendendo aquela tempestade urbana de sangue, ia escrevendo:

Mulheres estão caindo
dos prédios mais elevados
com reincidência anormal.
Vocação rara e frustrada
para vôo em vertical.

Despencadas, quase nuas
fruto verde, intemporal.
Pois não bastavam as maneiras
com que caíam na gente:
com amor, unhas e dentes,
caem agora em sangue quente.
As ruas estão vermelhas,
com as que mergulham do alto,
enormes sobre as marquises
e espedaçam-se no asfalto.
Já me falaram de três,
que eram puras ou que tal:
uma com os seios mordidos
e uma outra de avental.
A terceira exclamaram: virgem!
Quem não falou, pensou mal,
pois a menina ainda estava na roupa colegial.
Quero sair e não acho,
um guarda-chuva de aço,
que me proteja do sangue,
que pinga por onde passo.
Mulheres com a carne fresca
caindo por sobre nós,
enquanto lá em cima espreita
e confere a morte o algoz.
Mulheres sem pára-quedas
fizeram o vôo inaugural,
mas tanto pesavam as penas,
que o salto se fez mortal.

Pelo visto os poemas não diminuem os assassinatos. Sobretudo os maus poemas, como os meus. De Aída Curi, nos anos 50, Claudia Lessing, nos anos 70, ou Mônica, hoje, a situação não mudou. Acumulamos versos e tragédias nos livros e jornais, e neste momento mesmo, aqui ou Cingapura, uma adolescente ou uma mulher casada começa a subir um prédio pensando que vai a uma festa. Desatentos, não a reconhecemos. Por nós também na rua passa o assassino. Ele tem olhos tão fraternais! Mas a sua face verdadeira só veremos amanhã, quando, estupefatos, abrirmos os jornais.

O VESTIBULAR DA VIDA

Um enduro sem moto, um rali sem carro, uma maratona onde, em vez de atletas, correm paraplégicos, cegos, presidiários, grávidas e doentes em suas macas, esta é a imagem que nos deixa este vestibular realizado esta semana, mobilizando centenas de milhares de jovens em todo o país.

Várias fotos mostram jovens correndo desabalados dentro de seus *jeans* justos e camisetas palavrosas em direção ao portão da universidade, como se fossem dar um salto tríplice. Como se fossem dar um salto sem vara. Como se fossem dar um salto na vida. Ao lado, aparecem parentes incentivando o corredor-saltador, aparecem colegas gritando em torcida. Correi, jovens, correi, que estreita é a porta que vos conduzirá à salvação! E ali está, como São Pedro, um porteiro ou guarda, que vai bater a porta na cara do retardatário, que chorará, implorará, arrancará os cabelos num ranger de dentes, enquanto, saltitantes, os mais espertos pulam (ocultamente) um muro e penetram o paraíso (ou inferno da múltipla escolha).

A Telerj declarou que teve que acordar mais de 10 mil jovens pelo despertador telefônico. Carlinhos Gordo, o maior ladrão de carros do país, estava entre os 39 presidiários que, no Rio, fizeram, mesmo na cadeia, o exame. Mais de trinta deficientes visuais tiveram que tatear as 51 folhas em braile. Maria Alice Nunes teve um filho e saiu da maternidade com o recém-nascido no colo para enfrentar o unificado. Um índio cego – o guarani José Oado, 24 anos – disputa uma vaga em História (ou na história?). Andréa Paula Machado, 17 anos, teve que interromper o exame escrito várias vezes, para o prazer oral do bebê que, entre uma mamada e outra, voltava ao colo da avó. Dois fiscais que transportavam as provas no caminho de Petrópolis morreram num acidente. Um estudante com rubéola fez, num posto médico, prova ao lado de outro com catapora. Todas as idades ali estavam representadas: Márcia Cristina da Silva, 13 anos, vejam só! Já começou a treinar para o vestibular de Medicina em 88, e neste só achou difícil a prova de literatura. Mas lá estava também Edgar Carvalho, 73 anos, advogado, trocando as delícias da aposentadoria pela idéia de se tornar médico e ainda ser útil aos outros. Por isso, discordo da jovem que o interpelou acusando-o de estar tirando a vaga de outro. Socialmente é melhor um velho de 73 anos que qualquer dos jovens que faltaram à prova porque dormiam, que não foram classificados porque achavam que vestibular era loto e vivem a ociosidade daninha à custa de seus pais.

Mas, de todos os casos, impressiona mais o de Maria Regina Gonçalves, uma enfermeira de 38 anos. Vejam que história mirabolante. Lá vai a nossa Maria Regina. Mas não vai simplesmente. Vai grávida. Vai grávida, mas não é uma grávida amparada pelo seu marido, mas uma grávida solteira, enfrentando o mundo com sua barriga e coragem. No entanto, hora e meia antes do exame, em São Cristóvão, é assaltada por três marmanjos covardes, que tomam dela os documentos, 200 mil cruzeiros, e o pior: lhe dão uma porção de safanões, num exercício de sadismo matinal.

Maria Regina poderia depois disto voltar chorando para casa e ficar lamuriando o resto da vida. Fez o contrário: foi em frente, embora, ao chegar no local, soubesse que uma outra colega, também assaltada, desistira do exame. Maria Regina deu um jeito, arranjou até cópia xerox de sua carteira de identidade, fez a prova, comprometendo-se a mostrar os outros documentos mais tarde.

Mas, de noite, teve uma hemorragia. Pena que os ladrões não pudessem ver a cena, pois ficariam mais felizes. O médico lhe ordena "repouso absoluto". Ela ali "repousando", mas agoniada, porque a burocracia lhe exigia comprovações de documentos para validar os exames. Como desgraça pouca é bobagem, quatro dias depois morre o pai de seu namorado, daí a uns dias ela aborta e teve que ficar mesmo internada.

E vede agora, ó filhinhos e filhinhas de papai, que esbanjais vossos corpinhos sem destino nas praias da irresponsabilidade! Maria Regina foi a primeira colocada (nota 96) no concurso para Enfermagem e Sanitarismo. Tirou primeiro lugar e seu nome não apareceu na lista. Ainda vai ter que provar que existe. Mas já impetrou mandado de segurança. É claro que vai ganhar. Espero.

CORDEL DA MULHER GAIEIRA E DO SEU CABRA MACHÃO

Porque gado a gente mata,
tange, ferra, engorda e mata,
mas com gente é diferente.
Vandré e Theo

*H*á notícias que se lêem e parecem ficção. Achando que sua mulher o traía há um tempão, seu José Salustiano, plantador lá do sertão, depois de muito pensar, tomou uma decisão. Ia ensinar à mulher uma terrível lição, pra mostrar que cabra macho não suporta traição. Mandou preparar um ferro, vermelho como um tição, com quatro letras gravadas na ponta do vermelhão. Na ponta do ferro havia quatro letras flamejando, letras de fogo e de fúria, queimando na escuridão. Só de ver aquelas letras – o MGSM – o rosto de dona Lúcia se retorce todo e treme, muito chora e toda geme e pede, com horror, perdão.

Mas José Salustiano não lhe prestou atenção. Botou-lhe a faca no ventre, ameaçando matá-la, caso gritasse pros lados e rogasse salvação. Seu José Salustiano havia tudo pensado. Mandou pra longe seus filhos, passou na porta cadeado. Depois, com muito cuidado, amarrou sua mulher na sua cama de casado. Pegou o ferro queimando, marcou-lhe as letras na testa, marcou-lhe do rosto os lados, enquanto Lúcia ia urrando com aquelas letras de dor: Mulher Gaieira Só Matando.

Como se vê, Salustiano, essa frase que inventou é verso de pé quebrado. Não cabe bem no cordel, não cabe no coração, não cabe em nenhum papel, quanto mais no rosto sério da mulher com quem casou. Isso é coisa que se faça, meu caro Salustiano, sair marcando na cama a mulher com quem casou, como se fosse uma vaca, quando no fundo ela era, apenas, Maria Lúcia, mulher de cabra danado, mulher de trabalhador.

Meu caro Salustiano, você não só ferrou ela, você nessa se ferrou. Arregale seus ouvidos pras coisas que eu vou dizer. Eu não quero te espantar e nem menos convencer, quero apenas conversar, sem firulas de doutor, como um homem só conversa diante do próprio horror. Eu sei que é muito difícil, olhando a televisão, com tanta notícia fresca de violência de machão, fica difícil, eu dizia, governar sua emoção. Mas as coisas, seu José, já vão noutra direção. Mulher a gente não mata e nem dá mais bofetão, embora haja até ricos que caiam na tentação.

O que vai ser de Maria depois dessa danação? Ela foi ao delegado e fez a reclamação. O médico horrorizado, diz que é tão funda a inscrição, tão funda que até parece com cratera de vulcão. E acrescentou, todo pasmo, que não há cura possível nem se pode sobre o rosto colocar um remendão. E o pior é que Maria chora de noite e de dia, chora de dor no rosto e chora de humilhação. A vizinhança a incomoda, sua vida virou inferno, ela quer mudar pra longe, botar a cara no mundo, refazer nova habitação, embora seja difícil esquecer que seu marido marcou sua alma pra sempre e não há pele que possa refazer o coração.

Maria Lúcia, eu lhe digo: vai ser longa a expiação. Mas eu penso que as mulheres, que viram seu rosto inchado, exposto em fogo e paixão, nessa hora humilhadas, todas se deram a mão. Que seu rosto, minha cara, não é rosto nordestino sem história e tradição. A marca que você mostra é a violência de hoje e a violência de antão. Lembra aquelas mulheres, a quem lhes cortam o clitóris, quando nascem no Sudão. Lembra as mulheres chinesas, que no lugar de sapatos, usavam fôrmas nos pés, atadas por duros laços, pra que seus pés não crescessem e pra que andassem sempre atrás dos homens dez passos.

Mas você, Maria Lúcia, não pode ficar parada. Tem que seguir sua vida, mesmo estigmatizada. Ao se casar com José, tendo o nome de Maria, você achou sua cruz. Mas quem sabe se essas letras, na sua cara deixadas, são o princípio da fala, que você tinha guardada e que agora à luz do dia pode ser anunciada? Mas se é fraca a sua voz e não está preparada, as mulheres do país e os homens que perceberam que esse tipo de violência está mais que ultrapassado, talvez a tomem por símbolo e no seu rosto se veja, em vez da mulher vencida, uma mulher cuja vida foi de novo inaugurada.

Maria Lúcia, eu lhe digo: em vez da noite e opressão, o vermelho no seu rosto tem a força da alvorada e pode ser o sinal de sua libertação.

O QUE UNS DIZEM DOS OUTROS

*U*ma vez li numa publicação estrangeira um artigo com este título: "Podem os escritores ser amigos?" O título me chamou a atenção, deixei para lê-lo depois, o tempo passou, perdi (naturalmente) o artigo, mas a pergunta me ficou.

Outro dia fui ver Walmor Chagas encenando no seu belo e audacioso Teatro Ziembinski a peça chamada *Prezado amigo*, em que o ponto de partida é justamente a amizade entre Mário de Andrade e Drummond. A peça é uma evidente resposta àquela pergunta mencionada. É bonito ver Mário falando da amizade e mais bonito ainda vê-lo se dividindo se multiplicando em milhares de cartas fraternas por todo o país. Ele parecia ser o amigo-pai-irmão que todo escritor gostaria de ter. Mesmo assim, imaginem, teve que enfrentar a maledicência de Oswald de Andrade. Essas coisas o feriam muito. Daí que escreveu um poema intitulado "Ponteando sobre o amigo ruim", que começa assim: "Enfim, a gente não é mais amigo um do outro não/ Você anda fácil, levianinho/ no labirinto das complicações".

No Brasil, a amizade de Otto-Fernando-Hélio-Paulo é uma lenda. E mais, um fenômeno raríssimo. Futuramente, estudiosos terão que pedir bolsas da Fulbright, Ford, Guggenheim e Smithsonian Institute para estudar cientificamente este episódio.

Mas não é sobre amizades que escrevo aqui hoje. É sobre a inveja, a concorrência, o mal-entendido, a peçonha, a verrina que se semeiam entre os pares.

De uns tempos para cá passei a colecionar os absurdos que as pessoas dizem umas sobre as outras. Claro, sem nenhum método, mas com o necessário nojo e incômodo. E tremenda piedade por nós todos.

Vou logo dar um exemplo. Há cerca de um ano esteve entre nós o conhecido músico de vanguarda Karlheinz Stockhausen. E o que é que ele disse sobre seus pares? Horrores, meus irmãos, horrores. Shakespeare diria: "E, no entanto, Brutus é um homem honrado." Sim, no entanto, Stockhausen é um grande artista.

Perguntaram-lhe, por exemplo, sobre Herbert von Karajan. Ora, qualquer maestro jovem (ou não) que seja comparado a Karajan entra em órbita de tanta felicidade. Pois Stockhausen disse que Karajan pertence ao grupo dos "regentes que não tocam música contemporânea e são produtos de uma era decadente, explorando os instintos conservadores da sociedade para ficarem milionários".

E, no entanto, Karajan e Stockhausen são grandes artistas.

E John Cage? Aquele músico de vanguarda americano que todos veneram? O que diz dele o alemão? Isto: "John Cage na verdade não é músico. É um artista gráfico muito talentoso, para escrever partituras, só isso". E Lorin Maazel, que arrebata platéias e orquestras em todo o mundo? Para Stockhausen não passa de um músico populista... E até mesmo sobre Phillip Glass, de vanguarda como Stockhausen, que volta e meia vem ao Brasil, ele disse: "O sucesso nos Estados Unidos dessa música incrivelmente banal só pode ser creditado ao modismo."

Conheço muitos escritores que já tiveram vontade de publicar na orelha de seus livros as opiniões negativas sobre eles, para deixarem mal os críticos. Alguns até o fizeram.

Às vezes, as pessoas podem se equivocar. Gide se equivocou recusando Proust para ser editado. Já Machado de Assis, quando escreveu sobre *O primo Basílio* de Eça de Queirós, não só errou, mas estava com evidente má vontade.

Por que certos artistas (grandes artistas), já que são grandes, não conseguem ser grandes nos seus julgamentos? De onde vem tamanha dificuldade em conviver com o sucesso e o talento alheios? De onde é que vem a crença de que alguém só pode subir pisando na cabeça do outro?

Por que acham que não existe lugar para todos, e que uns devem e podem entrar na história e outros não? E que "história" é essa?

Outro dia esteve aqui no Brasil um grande escritor alemão – Heiner Mueller. Mas vejam só o que disse de "Bertold Brecht: Brecht sempre foi um mero observador da luta de classe." E sobre Thomas Mann sentenciou: "É ilegível em alemão, descreve o século XIX. Ele é bom para gente do Texas, que compra antiguidades na Europa."

E, no entanto, como diria Shakespeare, Heiner Mueller é um homem honrado.

Há escritores como José Guilherme Merquior que não permitem que o agridam. Dá o troco imediatamente. Mas já confessou que isto é exaustivo. Já outros, como o Rubem Fonseca, ficam na moita, no silêncio.

O público pensa que os artistas são pessoas melhores e superiores. Nem sempre. Vejam o que Flaubert disse sobre Balzac: "Que homem teria sido Balzac se soubesse escrever!"

Onde encontrei isso? No *Dicionário da besteira e dos erros de julgamento*, ao qual me referirei na próxima crônica, para escândalo das almas que como eu um dia já foram cândidas.

LIMPAR AS PALAVRAS

*U*ma vez ouvi na televisão um político americano dizer: "É preciso limpar as palavras." Se bem me lembro, ele falava a respeito de um escândalo que havia ferido injustamente a reputação de alguém. Era como se assinalasse que tínhamos que ter mais cuidado na escolha dos termos que utilizamos. Mas chamou-me a atenção que ele se referisse às palavras como objetos que podem estar mais ou menos limpos.

Tal afirmativa na boca de um escritor seria natural. Mas dita por um político soou como algo raro. Claro que, sendo ele um político americano, há uma explicação para isto. A cultura daquele país tem um substrato calvinista, e um dos itens da ética protestante é o confronto entre o limpo e o sujo, o puro e o impuro.

Anotei a expressão "limpar as palavras". Gostei da frase e da intenção. Imediatamente pensei: assim como aqui e ali a gente encontra escrito "Consertam-se geladeiras", pensei numa oficina que teria escrito na entrada "Limpam-se palavras".

Assim como a gente manda uma roupa para a tinturaria, é preciso mandar limpar as palavras. Como se faz uma faxina na casa, pode-se faxinar o texto. Há até especialistas nisto: o revisor, o copidesque, o redator. Eles pegam o texto alheio e começam a cortar aqui e ali as gorduras, os excessos, as impurezas gramaticais. Também os professores, os lingüistas, os filólogos podem entrar nessa categoria, a exemplo dos dicionaristas.

Então, um garoto pergunta ao outro: "Meu pai é médico, e o seu?" O outro pode dizer: "Meu pai limpa palavras." É um gari de frases.

Mas como se limpa a palavra? Com vassoura, creolina, Ajax e Omo?

Só uma palavra pode limpar outra, como só uma palavra pode sujar outra palavra ou uma vida inteira.

Cada um tem lá sua técnica para limpar as palavras. Lembro uma conhecida que sugeria que para botar um jeans bem limpo na máquina de lavar roupas era necessário jogar lá dentro também um par de tênis. A máquina começava a girar-girar e o tênis batendo-batendo na roupa, e ela saía limpa e macia. No fundo, era um pouco a imitação tecnológica do que as lavadeiras sempre fizeram na beira dos rios, batendo as roupas na pedra. Cada escritor coloca dentro de sua máquina de escrever um tênis diferente para clarear a escrita. São matreirices, espertezas como as da cozinheira que sabe como dar este ou aquele sabor à comida.

Poderia um escritor dizer para o outro: "Por que a sua palavra é mais limpa que a minha?" Por que em Machado de Assis e Euclides da Cunha, Guimarães Rosa e Clarice Lispector as palavras são mais rutilantes que nos demais?

O bate-enxuga das palavras. O publicitário também sabe o que é isso, o que é sacar a frase de efeito, revirar o texto para que ele tenha a força do *slogan*, do provérbio, do axioma. Os homens que tratam das leis também pensam nisso. Ficam ali burilando os termos para evitar ambigüidades e subterfúgios. Às vezes conseguem, às vezes não. A lei deveria ser limpa, transparente. Às vezes é, às vezes não.

Lembro o deslumbramento com que, aí pelos 15 anos, li um livro de Antônio Albalat – *A arte de escrever*. Foi uma revelação saber que alguém podia pegar um texto e reduzi-lo à metade, melhorando a informação. Tomava ele um texto e exibia como ali havia excesso de adjetivos ou do pronome "que", e, no final, convencia de que a economia verbal era o menor caminho entre o autor e o leitor.

Nessa questão de limpeza textual há sempre uma vítima: o adjetivo. Devo admitir que, embora o adjetivo seja em geral um problema, há muita injustiça a seu respeito. Os radicais querem expulsá-lo das frases, como se fosse uma praga. Até Machado de Assis incorreu neste exagero. Um dia até farei uma crônica sobre isto para mostrar como Machado, que condenou o adjetivo aqui e ali, o usou abundante e adjetivamente.

Nestes dias os jornais estão trazendo para o Brasil uma questão que surgiu nos Estados Unidos: o que é "politicamente correto" e o que é "politicamente incorreto". A questão, além de política e ideológica, é essencialmente semântica. Ou seja, as pessoas estão tomando mais cuidado não só com a comida que consomem, mas com as palavras que usam, a tal ponto que está havendo até um policiamento da linguagem.

Limpar as palavras. Mas há palavra pura? Há algum tempo houve um movimento chamado "poesia pura", "arte pura". Existe alguma coisa pura? Há dúvidas. Alguns teólogos medievais sustentavam que, já que Deus era tudo, o próprio diabo fazia parte de Deus.

Mas quem limpa as palavras se parece com o diamantário. Ou, então, com o enólogo, que experimenta o vinho fazendo-o circular pela boca, sob e sobre a língua, degustando-o. É o caso do orador, que é um escritor oral. Nele a palavra é a voz enamorada de si mesma. Ele não fala com o público, fala com as palavras, para as palavras.

Antigamente costumava-se dizer que certas expressões eram sujas, certas expressões, imundas. Dizia-se: "Esse menino tem a boca suja." E havia quem passasse pimenta e sal na boca do filho que falasse nomes feios. Mas tudo isso pulou para a literatura, para a conversa de salão, para a televisão.

Hoje, que a ecologia está na moda, condena-se a poluição.

A despoluição da realidade começa pela despoluição do discurso.

BIOGRAFIA DE AFFONSO ROMANO DE SANT'ANNA

Affonso Romano de Sant'Anna nasceu em Belo Horizonte, Minas Gerais, Brasil, em 1937. Nos anos 60 teve participação ativa nos movimentos que transformaram a poesia brasileira, interagindo com os grupos de vanguarda e construindo sua própria linguagem e trajetória. Data dessa época sua participação nos movimentos políticos e sociais que marcaram o País. Por isso, como poeta e cronista foi considerado pela revista *Imprensa*, em 1990, como um dos dez jornalistas que mais influenciam a opinião de seu país.

Nos anos 70, dirigindo o Departamento de Letras e Artes da Pontifícia Universidade Católica do Rio de Janeiro – PUC/RJ –, organizou a pós-graduação em literatura brasileira, bem como a " Expoesia", evento que reuniu 600 poetas, num balanço da poesia brasileira. Trouxe ao Brasil conferencistas estrangeiros, como Michel Foucault. Naquele departamento, apesar das dificuldades impostas pela ditadura militar, realizou uma série de encontros nacionais de professores, escritores e críticos literários. Pela primeira vez no País a chamada literatura infanto-juvenil passou a ser estudada na universidade e a ser tema de trabalhos acadêmicos de pós-graduação. Promoveu cursos de Criação Literária com a presença de importantes escritores nacionais.

Como jornalista, trabalhou nos principais jornais e revistas do País: *Jornal do Brasil* (em pesquisa e copidesque), *Senhor* (como colaborador), *Veja* (escrevendo crítica literária), *IstoÉ* (como cronista), *O Estado de S. Paulo* (como colaborador). Foi cronista da *Manchete* e do *Jornal do Brasil* e está em *O Globo* desde 1988.

Considerado pelo crítico Wilson Martins como o sucessor de Carlos Drummond de Andrade, realmente substituiu-o como cronista no *Jornal do Brasil*, em 1984. E foi sobre Carlos Drummond de Andrade a sua tese de doutorado, defendida na Universidade Federal de Minas Gerais e intitulada "Drummond, o *gauche* no tempo".

Nos duros tempos da última ditadura militar, o escritor publicou corajosos poemas nos mais importantes jornais do País; não nos suplementos literários, mas nas páginas de política. Poemas como "Que país é este?" – traduzido para o espanhol, inglês, francês e alemão – foram transformados em *posters*, aos milhares, e colocados em escritórios, sindicatos, universidades e bares.

Nessa época escreveu uma série de poemas para a TV Globo. Eram transmitidos no horário nobre, no noticiário noturno, e atingiam uma audiência de sessenta milhões de pessoas. Na mesma época fez uma nova experiência, aliando poesia e mídia, produzindo poemas sobre futebol e sobre a Copa do Mundo de 1986, que eram transmitidos com imagens e som após os jogos do Brasil.

Como presidente da Biblioteca Nacional – a oitava biblioteca do mundo, com oito milhões de volumes – realizou entre 1990 e 1996 a modernização tecnológica da instituição, informatizando-a, ampliando seus edifícios e lançando programas de alcance nacional e internacional. Criou o Sistema Nacional de Bibliotecas, que reúne três mil instituições, e o PROLER – Programa de Promoção da Leitura – que contou com mais de trinta mil voluntários e estabeleceu-se em trezentos municípios. Em 1991 lançou o programa "Uma Biblioteca em Cada Município".

Seu trabalho à frente da Biblioteca Nacional possibilitou que o Brasil fosse o país-tema da Feira de Frankfurt em 1994, da Feira de Bogotá em 1995 e do Salão do Livro de Paris, em 1998. Lançou a revista *Poesia sempre*, de circulação internacional, tendo organizado números especiais sobre a América Latina, Portugal, Espanha, Itália, França e Alemanha.

Ocupou o cargo de Secretário-geral da Associação das Bibliotecas Nacionais Ibero-Americanas (1995-1996), que reúne 22 instituições desenvolvendo amplo programa de integração cultural no continente. Presidiu o Conselho do Centro Regional para o Fomento do Livro na América Latina e no Caribe – CERLALC (1993-1995).

Nas atividades universitárias, lecionou em várias universidades brasileiras: Universidade Federal de Minas Gerais, Pontifícia Universidade Católica do Rio de Janeiro, Universidade Federal do Rio de Janeiro. Orientou cerca de oitenta dissertações e teses acadêmicas. No exterior deu cursos na Universidade de Los Angeles (1965-1967), na Universidade do Texas (1976), na Universidade de Köln (1978), na Universidade de Aix-en-Provence (1980-1982). Fez conferências na Dinamarca, Espanha, Portugal, Canadá, México, Argentina, Chile, além de outros países.

Como escritor, participou do "International Writing Program" (1968-1969) em Iowa, USA, dedicado a jovens escritores de todo o mundo. A partir dos anos 80 esteve mais constantemente em festivais internacionais de poesia, tais como os de Medellín, Bogotá, Caracas, México, Buenos Aires, Santiago do Chile e Irlanda.

Em 1999 residiu em Bellagio, Itália, a convite da Fundação Rockefeller, para ultimar seu livro *Textamentos* e adiantar uma pesquisa sobre carnavalização e cultura. Também já foi bolsista da Guggenheim e da Fundação Ford.

Recebeu vários prêmios nacionais e integrou o júri de uma série de prêmios internacionais, como o Prêmio Camões (Portugal/Brasil), o Prêmio Reina Sofia (Espanha), o Prêmio Peres Bonald (Venezuela) e o Prêmio Pégaso/Mobil Oil (Colômbia/USA).

Sua obra abrange cerca de trinta livros de ensaios, poesia e crônicas. Publicou poemas em um grande número de antologias, livros e revistas no exterior. Tem três CDs: dois de poesia, gravados por ele mesmo e por Tônia Carrero, respectivamente; um de crônicas, com participação especial de Paulo Autran.

Sendo um dos principais teóricos, no Brasil, da "teoria da carnavalização" e definindo-se como analista da cultura, nos últimos anos publicou um inovador estudo sobre o Barroco – *Barroco, do quadrado à eclipse* – analisando o Barroco ontem e hoje, e *Desconstruir Duchamp*, uma análise interdisciplinar da pós-modernidade.

BIBLIOGRAFIA

Observação: As referências bibliográficas incompletas ou defeituosas se devem ao fato de os arquivos do escritor estarem em fase de organização. Ainda assim, optamos por registrá-las, visando auxiliar o trabalho de futuros pesquisadores.

POESIA: livros

Canto e palavra. Belo Horizonte: Imprensa Oficial, 1965.

Poesia sobre poesia. Rio de Janeiro: Imago, 1975.

A grande fala do índio guarani perdido na história e outras derrotas. 2ª ed. São Paulo: Summus, 1978.

Que país é este? 4ª ed. Rio de Janeiro: Civilização Brasileira, 1980.

A catedral de Colônia. Rio de Janeiro: Rocco, 1987.

A poesia possível: poesia reunida. Rio de Janeiro: Rocco, 1987.

A morte da baleia. Rio de Janeiro: Berlendis & Verdecchia, 1990.

O lado esquerdo do meu peito. 2ª ed. Rio de Janeiro: Rocco, 1992.

Epitáfio para o século XX. [Antologia.] São Paulo: Ediouro, 1997.

Melhores poemas de Affonso Romano de Sant'Anna. 3ª ed. São Paulo: Global, 1993.

Intervalo amoroso. [Antologia.] Porto Alegre: L&PM, 1999.
A grande fala do índio guarani e A catedral de Colônia. [Ed. Comemorativa.] Rio de Janeiro: Rocco, 1998.
Textamentos. Rio de Janeiro: Rocco, 1999.

POESIA: publicações coletivas com poemas do autor, editadas no Brasil

4 poetas. Belo Horizonte: Ed. Universitária, 1960.
Violão de rua I. Rio de Janeiro: Civilização Brasileira, 1962.
Violão de rua II. Rio de Janeiro: Civilização Brasileira, 1963.
Violão de rua III. Rio de Janeiro: Civilização Brasileira, 1965.
BANDEIRA, Manuel, AYALA, Walmir. (Org.) *Antologia dos poetas brasileiros*: fase moderna. Rio de Janeiro: Edições de Ouro, 1967.
FÉLIX, Moacir (Org.) *Poesia Viva.* Rio de Janeiro: Civilização Brasileira, 1968.
Minas Gerais: suplemento literário, Belo Horizonte, Imprensa Oficial do Estado de Minas Gerais. Poemas publicados em 35 números do periódico, de 1968 a 1991.
BARBOSA, Guilherme Mansur (Dir.) *Poesia livre – Ouro Preto*, Belo Horizonte, v.3, n. 6, 1980.
ALVES, Henrique (Org.) *Poesia contemporânea.* São Paulo: Roswitha Kampf, 1985.
SAVARY, Olga (Org.) *Carne Viva.* Rio de Janeiro: Anima, 1984.
Lua Nova, Rio de Janeiro, v.1, n. 3, out.-dez. 1984.
PAULINI, Lívia (Org. e Trad.) *Pérolas do Brasil, Pearls of Brazil, Brazilia Gyöngyei.* Belo Horizonte: Academia Feminina Mineira de Letras, 1993. [Obra trilíngüe, em português, inglês e húngaro.]
LYRA, Pedro (Org.) *Sincretismo:* a poesia da Geração 60. Rio de Janeiro: Topbooks, 1995.
Poesia contemporânea. Cadernos de poesia brasileira. São Paulo: Instituto Cultural Itaú, 1997.

Literatura: Revista do Escritor Brasileiro, Brasília-DF, v.7, n.15, dez. 1998.

BRASIL, Assis. (Org.) *A poesia mineira no século XX*. [Antologia.] Rio de Janeiro: Imago, 1998.

Baú de letras: antologia poética de Juiz de Fora. Juiz de Fora: Funalfa, 2000.

PINTO, José Nêumanne. (Org.) *Os cem melhores poetas brasileiros do século*. São Paulo: Geração Editorial, 2001.

RODRIGUES, Claufe; MAIA, Alexandra. *100 anos de poesia*: um panorama da poesia brasileira no século XX. Rio de Janeiro: O Verso, 2001.

PEIXOTO, Sérgio Alves. (Org.) *O melhor da poesia brasileira: Minas Gerais*. Joinville: Sucesso Pocket, 2002.

POESIA: publicações coletivas com poemas do autor, editadas no exterior

FIGUEIREDO, José Valle. (Org.) *Antologia da poesia brasileira*. [Portugal]: Ed. Verbo, 1970.

BACIU, Stefan. (Org.) *Antología de la poesia latinoamericana (1950-1970)*. New York [Estados Unidos]: State University, 1974.

EUROPE: Revue Littéraire Mensuelle, Paris [França], v. 60, n.640-641, août-sept. 1982.

Beispilsweise Koln-Ein Lesebuch-herausgegeben von H. Grohler, G.E. Hoffaman, H. J.Tummers, Lamuv Verlag [Alemanha]: 1984.

TRANSLATIONS: The Journal of Literary Translation. Columbia University, Spring, 1984.

GAUCYS, Povilas. (Org.) *Lianu Liepesna*: (Brazily naujosios poezijos antologija) [Antologia brasileira em lituano]. Chicago [Estados Unidos]: 1985.

SOUTH EASTER LATIN AMERICANIST, Miami [Estados Unidos]: Miami University, sep. – dec. 1985.

MEDINA, Cremilda de Araújo. (Org.) *A posse da terra*: escritor brasileiro hoje, v.4. Lisboa [Portugal]: Imprensa Nacional – Casa da Moeda – Secretaria do Estado da Cultura de São Paulo, 1985.

NEJAR, Carlos. (Org.) *Antologia da poesia brasileira*. Lisboa [Portugal]: Imprensa Nacional – Casa da Moeda, 1986.

LATIN AMERICAN LITERATURE REVIEW. Brazilian Literature. Special Issue. University of Pittsburgh, jan.-jun. 1986.

BORJEA, Serge. (Org.) *Anthologie de la nouvelle poésie brésilienne*. Paris [França]: Harmatan, 1988.

Okolice (miessiecznik spoleczno-literaracki), Marzec, [Polônia], 1992.

Epitafio para el siglo XX. Caracas [Venezuela]: Fundarte, 1994.

Antologia da poesia brasileira. Pequim [China]: Embaixada do Brasil, 1994.

Liberté/Brésil Littéraire. Montreal [Canadá]: 1994.

SANTOS, João Camilo dos. *Portuguese Studies*, v.1. Santa Barbara – CA [Estados Unidos]: Santa Barbara University, 1994.

Das Gediche (Zeitschrife fur lyric, Essay und Kritik) AGHL [Alemanha], 1997, n. 3, oct. 1995.

MELLO, Thiago de (Org.) *Visión de la poesía brasileña*. Santiago [Chile]: Instituto Libro, 1996.

Tierra de nadie: antología de nueve poetas latinoamericanos. [Costa Rica]: Ed. Una, 1996.

ROWOHLR LITERATUR MAGAZIN: New lateiramerikanishce poesia / Nueva Poesía de América Latina, Hamburg [Alemanha], n. 38, 1996.

Review: Latin American Literature and Art, America Society, New York [Estados Unidos], Fall, 1996.

CASTRO, Sílvio. (Org.) *Poeti brasiliani contemporanei.* Venezia [Itália]: Centro Internazionale della Grafica di Venezia, 1997.

Anto: Revista Semestral de Cultura, Norte-Amarante [Portugal], n. 3, 1998.

Anto: Revista Semestral de Cultura, Norte-Amarante [Portugal], n. 6, 1999.

MACHADO, Regina. (Org.) *Affonso Romano de Sant'Anna & Carlos Nejar*: deux poètes brésiliens contemporains. Paris [França]: La Sape – Centre Nationnale de Lèttres, 2000.

BASTOS, José Henrique. (Org.) *Poesia brasileira do século XX*: dos modernistas à actualidade. Lisboa [Portugal]: Ed. Antigona, 2002.

CRÔNICA: livros

A mulher madura. 3ª ed. Rio de Janeiro: Rocco, 1986.

Antes que elas cresçam. São Paulo: Landmark, 2003.

O homem que conheceu o amor. 2ª ed. Rio de Janeiro: Rocco, 1988.

A raiz quadrada do absurdo. Rio de Janeiro: Rocco, 1989.

De que ri a Mona Lisa?. Rio de Janeiro: Rocco, 1991.

Fizemos bem em resistir. [Antologia] Rio de Janeiro: Rocco, 1994.

Mistérios gozosos. Rio de Janeiro: Rocco, 1994.

A vida por viver. Rio de Janeiro: Rocco, 1997.

Porta de colégio. 7ª ed. [Antologia] São Paulo: Ática, 1995. *Que presente te dar.* [Antologia] Rio de Janeiro: Expressão e Cultura, 2001.

Pequenas seduções. [Antologia] Porto Alegre: Sulina, 2002.

Nós, os que matamos Tim Lopes. [Antologia] Rio de Janeiro: Expressão e Cultura, 2002.

Desconstruir Duchamp. Rio de Janeiro: Vieira & Lent, 2003.

O desemprego do poeta. Belo Horizonte: Imprensa Universitária da UFMG, 1962.

Drummond, o "gauche" no tempo. 4ª ed. Rio de Janeiro: Record, 1990.

Política e paixão. 2ª ed. Rio de Janeiro: Rocco, 1984.

Análise estrutural de romances brasileiros. 8ª ed. São Paulo: Ática, 1989.

Por um novo conceito de literatura brasileira. Rio de Janeiro: Eldorado, 1977.

Música popular e moderna poesia brasileira. 4ª ed. Petrópolis: Vozes, 1997.

Emeric Marcier. Rio de Janeiro: Pinakoteke, 1993.

O canibalismo amoroso. 3ª ed. Rio de Janeiro: Rocco, 1990.

Paródia, Paráfrase & Cia. 7ª ed. São Paulo: Ática, 1985.

Como se faz literatura. 2ª ed. Petrópolis: Vozes, 1985.

O que aprendemos até agora? São Luís: Edufitia, 1984.

Que fazer de Ezra Pound. Rio de Janeiro: Imago, 2003.

______. 2ª ed. Florianópolis: Ed. Universidade Federal de Santa Catarina, 1994.

Barroco, alma do Brasil. Rio de Janeiro: Comunicação Máxima – Bradesco, 1997. 2 ed. Reeditado em inglês, francês e espanhol, 1998.

Barroco, do quadrado à elipse. Rio de Janeiro: Rocco, 2000.

CDs de Literatura

Affonso Romano de Sant'Anna por Tônia Carrero. Niterói: Luzdacidade, 1998.

AUTRAN, Paulo. *Affonso Romano de Sant'Anna:* crônicas escolhidas. Niterói: Luzdacidade, 1999.

O escritor por ele mesmo: Affonso Romano de Sant'Anna. São Paulo: Instituto Moreira Salles, 2001.

PRÊMIOS LITERÁRIOS

Prêmio Mário de Andrade, concedido ao livro *Drummond, o "gauche" no tempo.*

Prêmio Fundação Cultural do Distrito Federal, concedido ao livro *Drummond, o "gauche" no tempo.*

Prêmio União Brasileira de Escritores, concedido ao livro *Drummond, o "gauche" no tempo.*

Prêmio Estado da Guanabara, concedido ao livro *Drummond, o "gauche" no tempo.*

Prêmio Pen-Clube, concedido ao livro *O canibalismo amoroso.*

Prêmio União Brasileira de Escritores, concedido ao livro *Mistérios gozosos.*

Prêmio APCA – Associação Paulista de Críticos de Arte – pelo conjunto de obra.

Letícia Malard é doutora em Literatura Brasileira e Professora Emérita da Faculdade de Letras da Universidade Federal de Minas Gerais.

Seus livros principais são *Ensaio de literatura brasileira:* ideologia e realidade em Graciliano Ramos; *Escritos de literatura brasileira*; *Ensino & literatura no 2º grau:* problemas e perspectivas; *Hoje tem espetáculo:* o romance de Avelino Fóscolo.

Nos últimos anos publicou edições comentadas de obras de Gregório de Matos, Gonçalves Dias, Machado de Assis, além de preparar antologias.

ÍNDICE

Prefácio 7
Antes que elas cresçam 14
A mulher madura 17
Que presente te dar 20
Uma amiga me falou... 23
O que se perde com o tempo 27
De que ri a Mona Lisa? 30
A arte de presentear 33
Da minha janela vejo 36
A vida por viver 39
Casada, amando outro 43
Na espera do amanhã 46
Mistérios gozosos 49
Envelhecer: com mel ou fel? 52
O escritor, o leitor 55
O que é um judeu? 58
Perto e longe do poeta 61
Porta de colégio 64
Quando os amantes dormem 67

Encontro com Bandeira 70
Desaprendendo a lição 73
O jogador e sua bola 76
A carne viva 79
A metafísica da barba 82
Como namoram os animais 86
Fantasia erótica 89
Arte e fuga da espera 93
Receita para mal-de-amor 96
O velho olhando o mar 100
Esperando o furacão 103
Deus passou por ali 107
Como Deus fala aos homens 111
Aquele inesquecível general 115
Da capoeira ao mortal kombat 119
Entre Giotto e o AR-15 123
O vôo da águia 127
Vivendo num cartão-postal 131
O que querem as mulheres? 135
Tempo de delicadeza 138
Nós, os que matamos Tim Lopes 142
Fazer 30 anos 145
Despir um corpo a primeira vez 148
O homem que conheceu o amor 151
Amor, o interminável aprendizado 154
Quando se é jovem e forte 157
A corrupção nossa e alheia 160
Delicadas, as amizades 163

Vontade de ter netos 166
O surgimento da beleza 170
Meu amigo virou Deus 173
Improviso para Mozart 176
Entre outras palavras, o amor 179
Resistir através da beleza 182
Ter um ano pela frente 185
Estátua aos namorados de outrora 188
O apocalipse em Goiânia 191
Minha primeira ditadura 195
Mônica, aquela que vai morrer 198
O vestibular da vida 202
Cordel da mulher gaieira e do seu
cabra machão 205
O que uns dizem dos outros 208
Limpar as palavras 211
Biografia de Affonso Romano de Sant'Anna 215
Bibliografia 219

COLEÇÃO MELHORES CONTOS

Aníbal Machado
Seleção e prefácio de Antonio Dimas

Lygia Fagundes Telles
Seleção e prefácio de Eduardo Portella

Breno Accioly
Seleção e prefácio de Ricardo Ramos

Marques Rebelo
Seleção e prefácio de Ary Quintella

Moacyr Scliar
Seleção e prefácio de Regina Zilbermann

Machado de Assis
Seleção e prefácio de Domício Proença Filho

Herberto Sales
Seleção e prefácio de Judith Grossmann

Rubem Braga
Seleção e prefácio de Davi Arrigucci Jr.

Lima Barreto
Seleção e prefácio de Francisco de Assis Barbosa

João Antônio
Seleção e prefácio de Antônio Hohlfeldt

Eça de Queirós
Seleção e prefácio de Herberto Sales

Mário de Andrade
Seleção e prefácio de Telê Ancona Lopez

Luiz Vilela
Seleção e prefácio de Wilson Martins

J. J. Veiga
Seleção e prefácio de J. Aderaldo Castello

João do Rio
Seleção e prefácio de Helena Parente Cunha

Ignácio de Loyola Brandão
Seleção e prefácio de Deonísio da Silva

Lêdo Ivo
Seleção e prefácio de Afrânio Coutinho

Ricardo Ramos
Seleção e prefácio de Bella Jozef

Marcos Rey
Seleção e prefácio de Fábio Lucas

Simões Lopes Neto
Seleção e prefácio de Dionísio Toledo

Hermilo Borba Filho
Seleção e prefácio de Silvio Roberto de Oliveira

Bernardo Élis
Seleção e prefácio de Gilberto Mendonça Teles

Autran Dourado
Seleção e prefácio de João Luiz Lafetá

Joel Silveira
Seleção e prefácio de Lêdo Ivo

João Alphonsus
Seleção e prefácio de Afonso Henriques Neto

Artur Azevedo
Seleção e prefácio de Antonio Martins de Araújo

Ribeiro Couto
Seleção e prefácio de Alberto Venancio Filho

Osman Lins
Seleção e prefácio de Sandra Nitrini

*Caio Fernando de Abreu**
Seleção e prefácio de Ítalo Moriconi

*Domingos Pellegrini**
Seleção e prefácio de Miguel Sanches Neto

*Orígenes Lessa**
Seleção e prefácio de Glória Pondé

*PRELO**

COLEÇÃO MELHORES POEMAS

Castro Alves
Seleção e prefácio de Lêdo Ivo

Lêdo Ivo
Seleção e prefácio de Sergio Alves Peixoto

Ferreira Gullar
Seleção e prefácio de Alfredo Bosi

Mario Quintana
Seleção e prefácio de Fausto Cunha

Carlos Pena Filho
Seleção e prefácio de Edilberto Coutinho

Tomás Antônio Gonzaga
Seleção e prefácio de Alexandre Eulalio

Manuel Bandeira
Seleção e prefácio de Francisco de Assis Barbosa

Cecília Meireles
Seleção e prefácio de Maria Fernanda

Carlos Nejar
Seleção e prefácio de Léo Gilson Ribeiro

Luís de Camões
Seleção e prefácio de Leodegário A. de Azevedo Filho

Gregório de Matos
Seleção e prefácio de Darcy Damasceno

Álvares de Azevedo
Seleção e prefácio de Antonio Candido

Mário Faustino
Seleção e prefácio de Benedito Nunes

Alphonsus de Guimaraens
Seleção e prefácio de Alphonsus de Guimaraens Filho

OLAVO BILAC
Seleção e prefácio de Marisa Lajolo

JOÃO CABRAL DE MELO NETO
Seleção e prefácio de Antonio Carlos Secchin

FERNANDO PESSOA
Seleção e prefácio de Teresa Rita Lopes

AUGUSTO DOS ANJOS
Seleção e prefácio de José Paulo Paes

BOCAGE
Seleção e prefácio de Cleonice Berardinelli

MÁRIO DE ANDRADE
Seleção e prefácio de Gilda de Mello e Souza

PAULO MENDES CAMPOS
Seleção e prefácio de Guilhermino César

LUÍS DELFINO
Seleção e prefácio de Lauro Junkes

GONÇALVES DIAS
Seleção e prefácio de José Carlos Garbuglio

AFFONSO ROMANO DE SANT'ANNA
Seleção e prefácio de Donaldo Schüler

HAROLDO DE CAMPOS
Seleção e prefácio de Inês Oseki-Dépré

GILBERTO MENDONÇA TELES
Seleção e prefácio de Luiz Busatto

GUILHERME DE ALMEIDA
Seleção e prefácio de Carlos Vogt

JORGE DE LIMA
Seleção e prefácio de Gilberto Mendonça Teles

CASIMIRO DE ABREU
Seleção e prefácio de Rubem Braga

MURILO MENDES
Seleção e prefácio de Luciana Stegagno Picchio

PAULO LEMINSKI
Seleção e prefácio de Fred Góes e Álvaro Marins

Raimundo Correia
Seleção e prefácio de Telenia Hill

Cruz e Sousa
Seleção e prefácio de Flávio Aguiar

Dante Milano
Seleção e prefácio de Ivan Junqueira

José Paulo Paes
Seleção e prefácio de Davi Arrigucci Jr.

Cláudio Manuel da Costa
Seleção e prefácio de Francisco Iglésias

Machado de Assis
Seleção e prefácio de Alexei Bueno

Henriqueta Lisboa
Seleção e prefácio de Fábio Lucas

Augusto Meyer
Seleção e prefácio de Tania Franco Carvalhal

Ribeiro Couto
Seleção e prefácio de José Almino

Raul de Leoni
Seleção e prefácio de Pedro Lyra

Alvarenga Peixoto
Seleção e prefácio de Antonio Arnoni Prado

Cassiano Ricardo
Seleção e prefácio de Luiza Franco Moreira

Bueno de Rivera
Seleção e prefácio de Affonso Romano de Sant'Anna

Paulo Leminski
Seleção e prefácio de Fred Góes e Álvaro Marins

Ivan Junqueira
Seleção e prefácio de Ricardo Thomé

*Cora Coralina**
Seleção e prefácio de Darcy França Denófrio

*Antero de Quental**
Seleção e prefácio de Benjamin Abdala Junior

*Florbela Espanca**
Seleção e prefácio de Zina Bellodi

*PRELO**

COLEÇÃO MELHORES CRÔNICAS

MACHADO DE ASSIS
Seleção e prefácio de Salete de Almeida Cara

JOSÉ DE ALENCAR
Seleção e prefácio de João Roberto Faria

MANUEL BANDEIRA
Seleção e prefácio de Eduardo Coelho

AFFONSO ROMANO DE SANT'ANNA
Seleção e prefácio de Letícia Malard

*JOSÉ CASTELLO**
Seleção e prefácio de Leyla Perrone-Moisés

*MARQUES REBELO**
Seleção e prefácio de Renato Cordeiro Gomes

*LIMA BARRETO**
Seleção e prefácio de Beatriz Resende

*JOÃO DO RIO**
Seleção e prefácio de Ítalo Moriconi

*RAUL POMPÉIA**
Seleção e prefácio de Cícero Sandroni

*CECÍLIA MEIRELES**
Seleção e prefácio de Leodegário Azevedo Filho

*LÊDO IVO**
Seleção e prefácio de Gilberto Mendonça Teles

*PRELO**

Impresso nas oficinas da
Gráfica Palas Athena